哲学を知ったら
生きやすくなった

さわぐちけいすけ マンガ
小川仁志 監修・解説

はじめに

みんながモヤモヤを抱える不確実な現代。今こそ「哲学スイッチ」をオンしよう

戦争や災害、パンデミック、テクノロジーの進化に伴う働き方の変化……。先が見えない、複雑で不確実な現代。みんなが何かを抱えていて、その答えや生きるための指針を模索しています。**そんな時代を切り開くためのツールとして、近年注目されているのが「哲学」**です。

私も哲学者として活動を続けるなかで、哲学が求められる機会――いうなれば「哲学スイッチ」をオンする頻度が年々増えているように感じます。裏を返せば、哲学が必要とされる時代は、今までの常識が通用しない厳しい時期であるとも言えるでしょう。

では、哲学とは何か？ひと言で表すなら「**常識を超えて考える**」**思考法**のことです。それをよく表すのが、ドイツの哲学者・ヘーゲルの名言として知られる「ミネルヴァのフクロウは黄昏(たそがれ)に飛び立つ」という言葉。ミネルヴァとは、知＝哲学の象徴です。これには2つの意味があり、**哲学は事態が収束した後に現れて真理を語るものだとい**

うこと、そして他に方法がない状況を突破する〝最後の手段〟ということです。

実際に歴史上の哲学者たちは、その時々の常識的な考え方を超えた視点を提示し、世の人々に大きな影響を与えてきました。だからこそ、哲学は二千数百年の歴史を通して「最後の砦（とりで）」として重宝されてきたわけです。

同時に、**哲学は「自分の考え方を変えるための手段」**ともいえます。現実に行き詰まったとき、環境や社会、人を変えることは簡単ではありません。

そんな私たちに最後にできるのは、**「自分の気持ちを変える」こと**だけです。哲学を知り新しい視点に気づくことで、視界が開けて自分の意識が変わる。そうすれば気持ちもラクになりますし、外部や社会に対するアプローチも変わってきます。それが結果として、世の中の課題を大きく変えていくのかもしれません。

私たちの日常と「哲学のある世界」をつなぐ扉に

この本の20のエピソードは前後半に分かれていて、前半のマンガでは、日常やキャリアを通していろいろなモヤモヤを抱えた3人の人物が登場します。「上司の意見に反論すべき？」「自分の人生これでいいの？」「人間関係のしがらみにうんざり」といった悩みは、日常的に誰しもが抱くものばかり。漫画の登場人物たちがいろいろと悩む姿を見るなかで、日常の問題を振り返って「もしかしたら私はこれにモヤモヤしていたのかも」と、気づくきっかけになるかもしれません。

もちろん読み物としても楽しめますが、ぜひ試してほしいのが**「自分を投影して読む」**ことです。登場人物のひとりになってみたり、4人目の主人公として〝参加〟したりして、3人と一緒に悩み、語り、考えてみる。そうすることで、それぞれのテーマが自分の問題として受け止められます。またそのなかで、日常には哲学的な問いや、哲学によって解決できる物事がたくさん存在することに気づくでしょう。

後半は、哲学の視点からの解説です。このパートはいわば、**日常では訪れることができない「哲学のある世界」**です。普段の生活では悩みに気づいても、解決策はなかなか見つからないもの。ですから、後半はぜひ私を含めたさまざまな哲学者たちに悩み相談をするような気持ちで読み、問題解決のヒントを見つけてみてください。

また**「対話」形式**であることもポイントです。古代ギリシアの哲学の父として知られるソクラテスは、対話から相手の考える力や真理を引き出しました。**自分ひとりでは答えが出せないときも、もうひとりの自分や他者と対話することで、多様な視点から答えを探すことができます。**そうした対話のプロセスを楽しみながら、モヤモヤを突破するきっかけにしていただけると幸いです。

一方で、「哲学は難解」というイメージを持っている方も多いかもしれません。しかし意識して思考を続けていると、だんだん考える力や客観的にものごとを見る力がついてきて、**必要なときに「哲学スイッチ」を使えるようになります。**気がついたら、同じことで**クヨクヨと悩んだり、愚痴ったりすることも減っているかもしれません。**

この本の最後には、未来の3人を描いた書き下ろしマンガも掲載しています。悩みに向き合い、対話しながら考え続けた彼女たちは、いったいどうなっていくのでしょうか？　ぜひ、最後まで楽しんで読んでくださいね。

小川仁志

目次

Episode 1

『上司の意見に反論すべき？』

そう言ってくれるのはうれしいけど…
この案件のために上司に嫌われてでも自分の意見を通すのは微妙だと思うの
かといって私がせっかく作った企画を捨てて言われた通りにするってのは悲しすぎる
なんで2択しかないの？

今回の哲学　**弁証法**〈ヘーゲル〉

［ヘーゲルは言った…］

何事にも必ず問題は生じる。
「弁証法」を使って否定をうまく取り込み、
妥協や折衷案ではない、
より発展した「第3の道」を見いだせ。

ゲオルク・ヴィルヘルム・フリードリヒ・ヘーゲル
（1770〜1831 ドイツ）

［ヘーゲルってどんな人？］

逆境のなか近代哲学を完成に導く

意識から歴史まで幅広い思索を展開した哲学者。哲学者としては遅咲きで、さまざまな逆境を克服しながら、ベルリン大学総長という頂点まで上り詰めた、まさに弁証法的な生き方をした人物。近代哲学の完成者と称されている。

らっしゃい!
かもい みる
鴨居美留
(35歳・IT・販促)

ミルちゃん
こっち

ごめん
リンちゃん
お待たせ
私も今
来たとこ

………
ん〜
はつ
なんこう
とりかわ
私はえっと
生ビール…
あと
え〜〜っと
生2つ
キャベツサラダとオクラの豚巻き
あと串物で椎茸とカシラとハツと
ぼんじりとエビとミニトマト
全部2人分ずつ塩で
あと生春巻きとキムチを
はいよ!
あしだ りん
芦田 凛
(35歳・メーカー・事務)

他に
ご注文は?
え〜っと…

焦らないで私が適当に
頼んだもの食べつつ
リンちゃんも
好きなタイミングで
好きなもの頼みなよ
ありがとう
こういうの一生
迷っちゃう…

では…
乾杯!

本日のテーマは
上司の愚痴です
なるほど
プハー

私に急に
お呼びが
かかったってことは…

企画の方針は
君に任せるね
って言ってたのに
後になって突然
やっぱり
この方針で
進めたい
とか
勝手なこと
言い出すから…
はいよ
生おかわり

うんうん
え
何それ
ひどい…
でしょ？

そういえば上司が
後から出してきた
方針はどうなの？

このありさまな
わけだ
はい
サラダと
豚巻きね！
そうなの

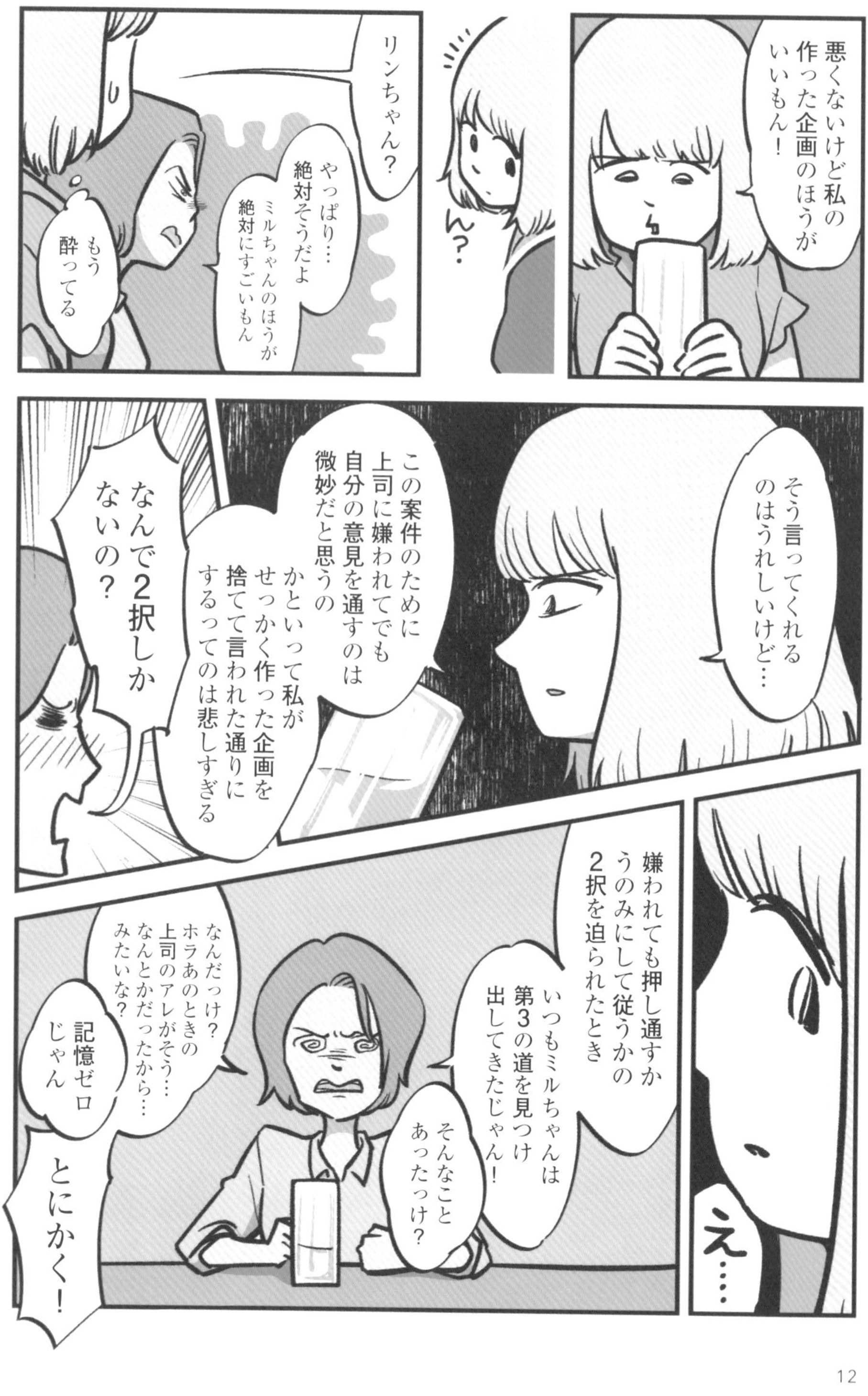

悪くないけど私の作った企画のほうがいいもん！
ん？

リンちゃん？
やっぱり…絶対そうだよ
ミルちゃんのほうが絶対にすごいもん
もう酔ってる

そう言ってくれるのはうれしいけど…
この案件のために上司に嫌われてでも自分の意見を通すのは微妙だと思うの
かといって私がせっかく作った企画を捨てて言われた通りにするってのは悲しすぎる
なんで2択しかないの？
え…
嫌われても押し通すかうのみにして従うかの2択を迫られたとき
いつもミルちゃんは第3の道を見つけ出してきたじゃん！
そんなことあったっけ？
なんだっけ？ホラあのときの上司のアレがそう…なんとかだったたから…みたいな？
記憶ゼロじゃん
とにかく！

納得いかないまま進める
ミルちゃんもかわいそうだし
嫌われてでも押し通して
本当にミルちゃんが
嫌われちゃうのも嫌だ
他に方法は
ないの？
リンちゃん
やっぱりいい
やつだなー

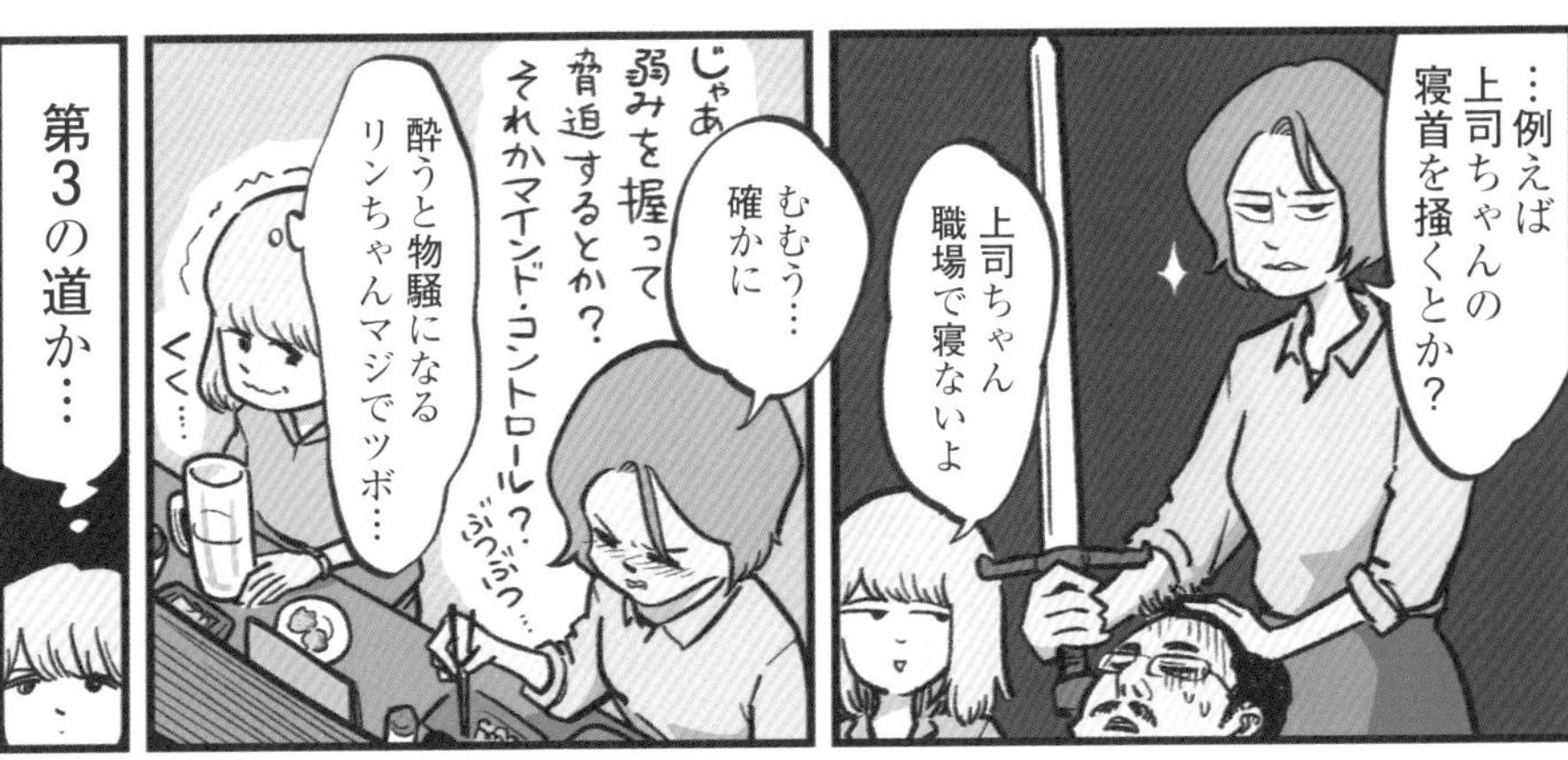
…例えば
上司ちゃんの
寝首を掻くとか？
上司ちゃん
職場で寝ないよ
じゃあ
弱みを握って
脅迫するとか？
それかマインド・コントロール？
むむう…
確かに
ぶつぶつ…
酔うと物騒になる
リンちゃんマジでツボ…
くく…
第3の道か…

もっとちゃんと
考えたら

妥協はしたく
ないしなぁ…
なんて…
そんなこと
できるのかなぁ
ん

否定されたら落ち込むのではなく「発展させるチャンス」と捉えよう

編集部 働く私たちのモヤモヤは「哲学」で解消できるとのことですが、哲学って小難しいイメージで…。昔の人の考え方が、現代人の悩み解決に本当に役立つのでしょうか？

小川 もちろんです。そもそも哲学というのは、古今東西の哲学者が考え抜き、物事の本質を探究して導き出した普遍的な思考法のこと。**変化の激しい現代だからこそ、哲学的思考を「ツール」として活用すると、悩みを解決に導いてくれますよ。**

編集部 今回の悩みは、上司の意見と自分の意見が違うケースです。仕事でよくあるモヤモヤですね。

小川 マンガの後半で、リンが「2択ではなく、第3の道があるはず！」といい意見を言っていましたね。このように一見相いれない問題を、どちらも切り捨てることなく、よりよい解決法を見いだす――。つまり、**第3の道を見つけたいときに使えるのが、ドイツの哲学者・ヘーゲルが唱えた「弁証法」**です。

編集部 弁証法？　それは、どんな考え方なのですか？

小川 ヘーゲルは「何事にも必ず問題は生じる」、つまりすべてが完璧に進むことはあり得ないと言った。問題が起きたとき、切り捨てることは簡単ですが、それでは真の解決になりません。そこで**弁証法では、逆に対立する問題を取り込んで、「発展」させる**のです。

編集部 ふむふむ…。

小川 詳しく説明すると、ある物事（テーゼ）に対立する事柄や問題点（アンチテーゼ）が存在する場合、これらの両方のよい部分を取り込んで、矛盾や問題を克服し（アウフヘーベン）、より発展した完璧な解決法（ジンテーゼ）を生み出すという概念です。

編集部

「発展させる」というのが、ポイントですね！

小川

はい。発展というのはヘーゲル哲学の特徴といっていいでしょう。まさに近代という発展し続けた時代を象徴しています。彼はなんでも発展すると考えていましたから。人間も社会も歴史も。そのための原理であり方法として掲げられたのが弁証法なのです。

編集部

しかもそれを否定によって可能にするわけですね？

小川

そのとおりです。**ヘーゲルは「否定はむしろ発展するための力だ」と、問題を肯定的にとらえた**んです。取り込む、つまり受け入れることでより強くなる。例えば、強い敵が現れたとき、戦うのも大変だし、逃げるのも大変。でも、敵が仲間になれば自分のチームが強くなる。ビジネスでも、異端児を切り捨てるのは簡単ですが、逆に取り込んで、より個性のある最強のチームをつくるのがベストな解決策と言えますよね。

編集部

なるほど！　問題を受け入れて、一段上のレベルを目指すわけですね。

小川　この発想がすごいのは、「第3の道」といっても、全く別の案を採用するわけでもなければ、折衷案や妥協でもないという点。**2つあった道よりも必ずよくなった第3の道になる**ということです。例えば、混ざらない水と油も、一緒にするとドレッシングができますよね。1＋1が2ではなく、無限大になるわけです。

編集部　今回のケースでいうと、上司の意見を取り入れるのは〝負け〟のような感じもしてしまうのですが…。

小川　私は、**弁証法は「ウィンウィンの関係」**だと考えています。例えば今回の場合、ミルは自分の企画をベースにしつつ、上司の企画のよい部分を取り入れれば、お互いに発展するし、自分も満足できる。上司の案も取り入れたから、もちろん相手も納得です。先ほどのドレッシングの例でいうと、水と油はどちらも「ドレッシングになれてよかった、自分が生かされた」と思っていますよね（笑）。

編集部　確かに（笑）。勝ち負けを考えなくてもいい、両方にメリットもある平和的な解決法といえますね。弁証法のこの考え方は人間関係や子育てなどなど、あらゆるシーンで使えそうです。

小川

勝ち負けでいうなら、「勝ち勝ち」になる。それによって「価値」が上がる。いま親父ギャグが入りましたけど切り捨てないでくださいね（笑）。**嫌な上司やライバルがいたときに相手をシャットダウンせずに、まずは成長のチャンスととらえることが大事**なのだと思います。

アドバイス

ミルはどうすべき？

自分の企画をボツにしてしまうのはもったいない。表向きは上司を立てつつ、自分の企画の足りない部分に上司のアイデアをうまく取り込み、よりよい企画にせよ。

Episode 2

『流れに逆らう？ 身を任せる？』

今回の哲学

あれか、これか〈キルケゴール〉

［キルケゴールは言った…］

「あれか、これか」の選択を迫られたとき、本当の自分の心を見つめ直せば、おのずと、どちらを選ぶべきか分かる。

セーレン・オービュ・キルケゴール
（1813～1855 デンマーク）

［キルケゴールってどんな人？］

自ら道を切り開く「実存主義」の先駆け

不幸な生い立ちや婚約破棄など、さまざまな苦悩を経験するなか、絶望や不安を乗り越えるための思想を生み出す。のちにサルトルらが広めた「実存主義」の先駆者といわれる。著書に『あれか、これか』『死に至る病』などがある。

あ　ごめん
洗濯物だけ
取り込んじゃうね
こんな平日に
お邪魔して
ごめんね

じん　やすみ
神 保実
（35歳・パート勤務）
いいの
いいの
子どもたちは
学校終わったらすぐ
遊びに行くだろうし

あしだ　りん
芦田 凜
（35歳・メーカー・事務）

仕事をいろいろと
押し付けられた
でも断れなくて
押し潰されそうで
悩んでいる？

…え
前の仕事みたいに
辞めるのも考えて
いるとか？

がばっ
なんで分かるの？
リンちゃん仕事辞める直前になるとたそがれに来るじゃん？
おやつたべよ
私…迷惑なやつ
みんなからは辞めるの反対されてる…
特に母…
そっか
ヤスミンは反対せずに話を聞いてくれるから甘えに来ちゃう
ふふ
私は楽しいから気にしないで
リンちゃんと話すと時々
流れについて考えるの
流れ？

せっかく就職したなら
辞めるわけには
いかない流れ
長く付き合った人
だから結婚する流れ
若いうちに
出産する流れ
子育てでは
これが当たり前
って流れ
私たちはそれぞれ
目に見えない小さな
よく分からない流れに
囲まれてる
私は大抵その流れに
身を任せてきたから
いつも何かに悩みながら
違う流れに進むリンちゃんを
かっこいいなって思うの
かっ…
無理しない私も
悩むリンちゃんも
自分を優先してる
ことに変わりは
ないけどね
ガチャ
バタン！
ドッダッダッダッ！
お
ただいまっちょ！
ただいまっちょ
あ リンちゃん
遊びに来てる！
やほ
はいはい
おかえり

僕おやつ！
手ぇ洗ったの？
どさっ
俺おやつ
いらない！
遊び行く！
あ！
じゃあ僕も！
どさっ
え
5時には帰って
来なさいよ
へへへ…
なつかしい
って…あ！
こらテツオ！
マナブ！
リンちゃんに
ランドセル
押し付けんな！

バタン！

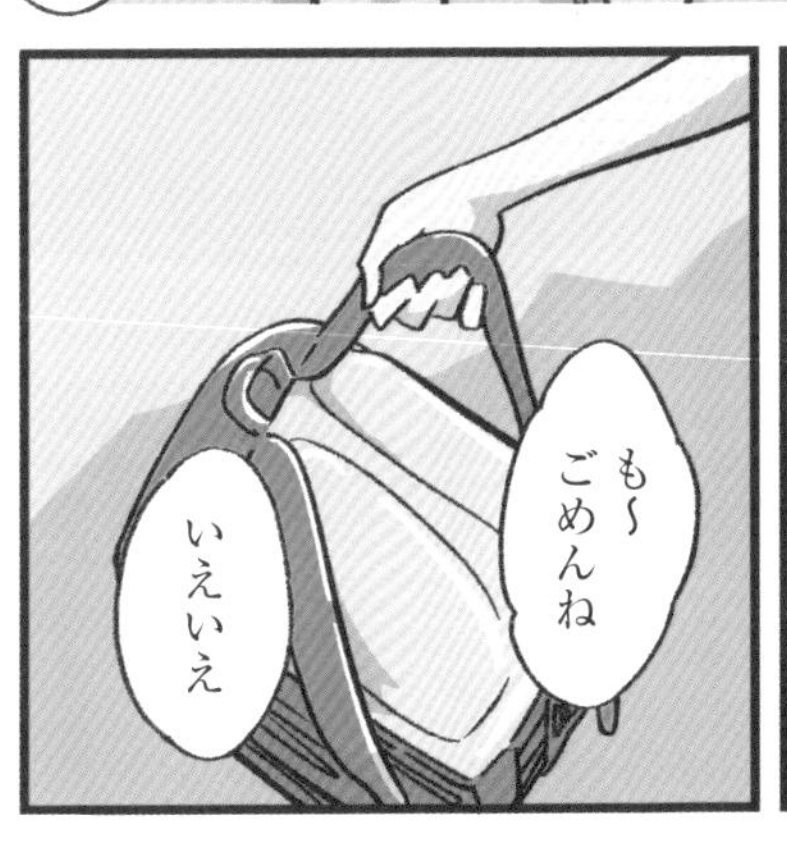
も～
ごめんね
いえいえ

私の選択が間違いだ
なんて思ったことは
ないけどさ
もし仮に私たちが
小学生のときから
友達だったとして

私もリンちゃんみたいに
悩み抜いて進んでいたら
どんな人生だったのかな
って思うときもあるんだ

「本当はこうしたい」を見極めて主体的に選べば、前向きに生きられる

編集部　人生では多くの「選択」をしなければなりません。日々忙しいなかでも、ふと立ち止まって「これでいいのか」、誰しも悩むことってありますよね。

小川　まさに人生とはそういうものです。何か大きな流れがあって、それに身を委ねて楽に進むこともできるし、あえて流れに逆らうこともできる。生きることは選択の連続ですから、選択したほうがいいのか、流れに身を任せたほうがいいのかは、永遠のテーマともいえますね。

編集部　ふーむ…。どのように選ぶのがよいのでしょうか？

小川　この問題に対して、「面倒だけど、流れに逆らってでも自分で選択したほうがいい」と言ったのが、デンマークの哲学者・キルケゴールです。彼は、**人生には選択の余地が与えられていて、「あれか、これか」を決めるのは、私たち次第だと言った**のです。

編集部　「あれか、これか」？

小川　詳しく説明すると、キルケゴールは、**人生の選択には「美的選択」と「倫理的選択」の2つがある**と言いました。**美的選択とは、流れに身を任せて享楽的に人生を生きるという道**、いわば自分で選択しない道ですね。それに対して、**倫理的選択とは、悩みながらも自分で選択し、人生を切り開いていく道。**場合によっては、苦しい道かもしれません。

編集部　苦しいかもしれないけど、自分で悩んで選択するほうがよいということですか？

小川　その通り。彼はそれを「自分自身を選ぶ」と表現しています。つまり、「**何をすれば自分が満足できるのかを見極めれば、おのずと正しい選択ができるはず**」ということ。「**本当はこうしたい」という気持ちから逃げず、主体的に選ぶ生き方をしましょう**というわけです。

編集部　確かに、「悩んで自ら決めたことなら、後悔しない」とよくいわれますね。

小川　苦しい道だったとしても、乗り越えられれば納得がいきますね。一方、たとえ失敗しても、本当の自分に向き合った結果だから、「やれることはやった」と満足できるはず。続けていれば、いつか自分が本当に望む道にたどり着くでしょう。

編集部　今回のケースでは、リンは悩みながら人生を変えていく、まさにキルケゴール的な生き方をしていると言えますね。

小川　今の彼女の仕事の悩みも「本当は自分がこうしたい」という気持ちに向き合うことができれば、優先順位をつけて断るなり、会社を辞めるなり、おのずと道は決まるでしょう。

編集部　では、人生の流れに身を任せてきたと感じているヤスミは、楽な選択をしたことになるのですか？

小川 そうではありません。結婚や子育てと、ヤスミも悩んだ上で、人生の選択をしてきたはず。**最も大切なのは、選択のプロセスを経るということ**です。その結果は、専業主婦でも、大企業に長く勤めることでも、転職でもいい。

編集部 自分から逃げずに、向き合うことが大事なのですね！

小川 はい。**今のままでいいと思うなら、それでいい**ということ。本当はもっと楽に身を任せたいタイプの人が、「周りが競争しているから」とか「意識高くしないと」と頑張ってしまうと、苦しくなる。楽に生きたいという本心を選ぶことも、倫理的選択といえます。

編集部 とはいえ、自分の気持ちや、やりたいことが分からなくて、「自分がこうしたい」ということがないときどうしたらいいのですか？

小川 **過去を見ること**ですね。**自分はこれまでどういうときにワクワクし、どういうときに本気を出したか**を思い返してみると、本当の自分が見えてくるはず。自分自身を深く顧みて、問い直す。その作業を含め、キルケゴールは「自分自身を選ぶ」と言っているのだと思います。

先生が哲学を学ぼうと決めた時も、やはりご自身の過去を振り返られたのですか？

小川　編集部

その側面はあったと思います。昔から変なことを考えるのは好きでしたから（笑）。これならやれそうという手ごたえを感じたのを覚えています。そしてその選択は正しかったわけです。

アドバイス

リンはどうすべき？

疑問を感じたときは、仕事のやり方や生き方を問い直すよい機会。「本当は自分がどう働きたいのか」にきちんと向き合い、自分の意志で選択をしよう。

Episode 3

『怒りをどうコントロールする？』

今回の哲学 **怒り**〈セネカ〉

［ セネカは言った… ］

怒りは破壊をもたらし、負の連鎖を引き起こす。
怒りを他人にぶつけてはダメ。
人間同士助け合い、
怒りの原因となった問題を解決せよ。

ルキウス・
アンナエウス・セネカ
（紀元前1年頃〜65年 ローマ帝国）

［ セネカってどんな人？ ］

**ローマ皇帝に
生き方を説いた哲学者**

ローマ帝国の政治家、哲学者。暴君で知られる皇帝・ネロの家庭教師、ブレーンとして仕える。理性と節度を信奉する「ストア派」の哲学者として多くの名言を残し、後世に影響を与えた。著書は『怒りについて』など。

いやぁ たまにこうして ミルちゃんに 愚痴れるの ホント助かる
何言ってんの お互い様じゃん
気持ちのいい カフェだね
でしょ? 最近見つけたの
じん やすみ
神 保実
(35歳・パート勤務)
小学生2人いて 仕事もするって やっぱり大変?
すっごい 大変!
楽しいことも 多いけどね
そっかぁ
かもい みる
鴨居 美留
(35歳・IT・販促)
疲れとかイヤな ことがたまって くるとさ…
ついつい夫や 子どもに怒りっぽく なっちゃってさ…
怒ったって なんにもならない のにイヤになる
ミルちゃんは そういうとき どうしてる?
私は…
私の原動力は 怒りなの
え…

私はいつも周りに
絶対バレない
ように怒ってる
二度と同じような
嫌な目に遭わないように
怒りを大事に抱えながら
努力や工夫につなげるの
結構周りに
バレてそう…

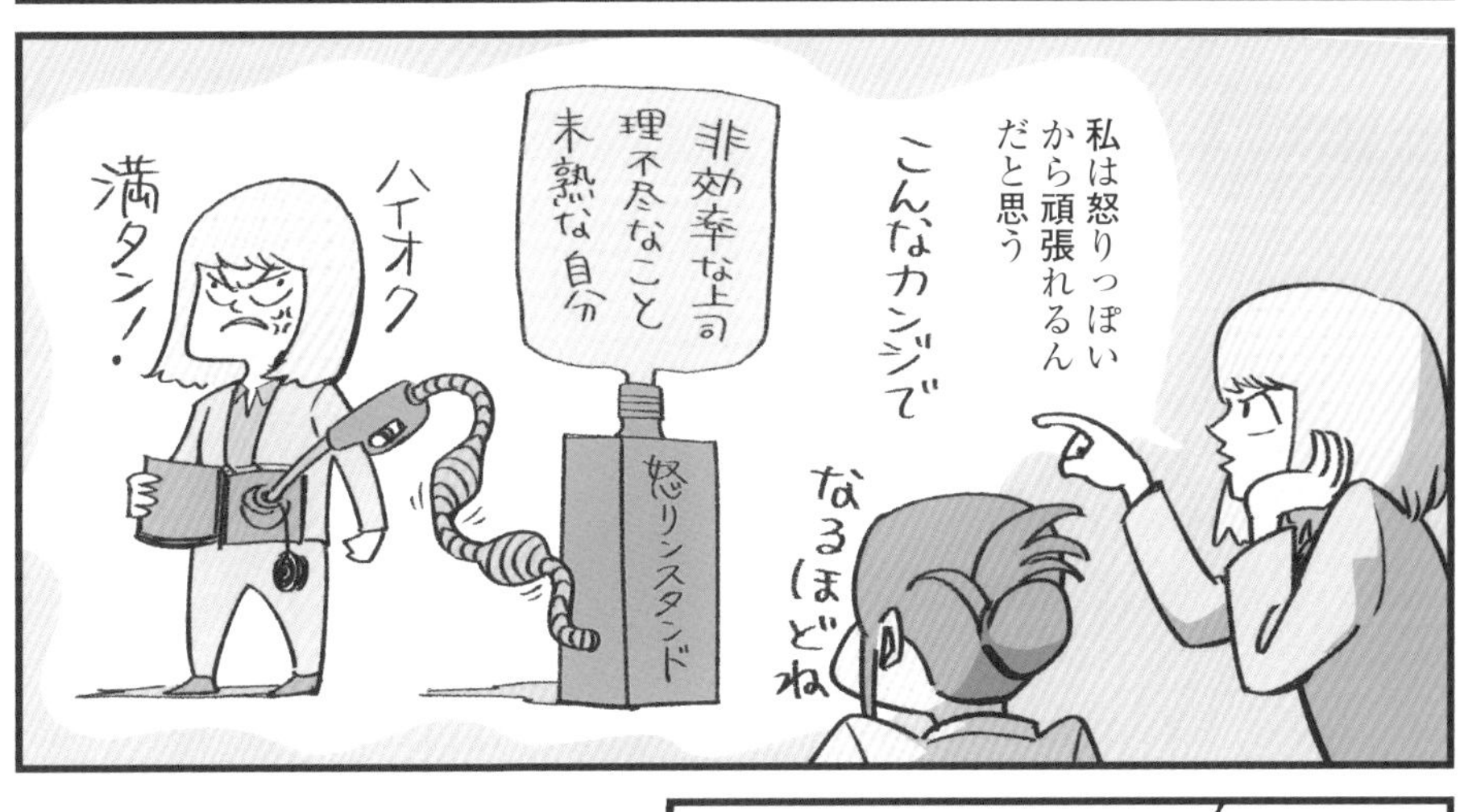
私は怒りっぽい
から頑張れるん
だと思う
こんなカンジで
なるほどね
非効率な上司
理不尽なこと
未熟な自分
怒リンスタンド
ハイオク
満タン！

ミルちゃんが
バリバリ会社で
活躍できるのは
そういうワケか
かっこいいなぁ

………

仕事って利益が出るとか企画を終えるとかある程度のゴールがあるでしょ？

達成！

効率的に達成したい目標があるから私は割り切って考えられる

でも子育てには明確なゴールや正解があるってわけじゃないじゃん？

まぁ…たしかに

怒りをエネルギーに…なんて単純なこと言えるのは私が仕事を利益優先で割り切っているからなだけ
なのに上司が無能だから…

家族ってそんな簡単な話じゃないでしょ？

そもそも怒りなんて感じないほうが絶対いいに決まってる！

怒ってんじゃん

怒りを抑えて行動したときのことはあまり覚えてない
でも怒りに任せて行動したときはイヤな結果にしかならなかった
分かる

いつも穏やかで優しいヤスミンはホントすごいよ
ど…どうも…

まずは自分に余裕を持つ工夫を。冷静に伝えることが解決への近道

編集部　ストレスの多い時代、余裕がなくてつい怒りっぽくなる人も多いですよね。ちょっとしたことですぐ「キレて」しまって後悔したり。

小川　怒りは自然に湧き上がる感情ですが、他人や自分を傷つけるやっかいなものです。怒りについて悩んだときに参考になるのが、古代ローマの哲学者・セネカの言葉です。セネカは暴君で知られる皇帝ネロに仕えた経験から、**怒りを悪だと批判し、「この世で最も遠ざけるべきものだ」と言っています。**

編集部　やっぱり、怒ることはよくないのですね…。

小川　はい。その理由は、**怒りは「破壊」であり、仕返しをしたいという「報復の欲望」**だからです。報復すると、それに対してまた報復され、さらに怒りが増幅するという憎しみの連鎖が生まれる。そうならないようにするためにも**「自分自身の怒りと闘い、怒りに出口を与えるな」**と説いているのです。

編集部　怒りを表に出さない。それができれば理想的ですが…。

小川　怒りが生じるのは避けられないことだとしても、それと闘うことはできるはずです。闘う相手は別の人間ではなく、自分自身の怒り。セネカは**「人間は相互の助け合いのために生まれた。怒りは破壊のために生まれた」**と言っています。つまり人間同士は相手を破壊するために存在しているのではないということです。そもそも**怒るのは、何か不正なことがあるからですが、セネカは、人はそれを理性で正すことができると考えた。**

編集部　でも、ついカッとなってしまうのが、人間。そんなときも理性を働かせるにはどうしたらいいのでしょう?

小川

待つことですね。セネカは怒りに任せて声を上げるのが勇気ではなく、**「怒りが収まるのを待つことこそが勇気だ」**と言っています。

編集部

どれくらい待てばいいでしょうか？

小川

それは怒りの程度にもよりますけど、少なくとも相手の言動に即反応してはいけませんね。私が実践しているのは、言い返すにしても、頭の中で10秒くらい数えるとか、メールだったら一晩寝てから返事するとかいった方法です。人間の場合、一晩寝たら怒りも収まりますから。

編集部

カッとなったら、収まるのを待つ…。とはいえ、やっぱり、自分の意見や傷ついた気持ちを、相手には分かってほしいです。

小川

気持ちを伝えることを我慢する必要はなく、冷静になってから、伝えればいいのです。セネカはゆがんだ物事を理性的に正すことは、懲罰の姿を借りた「heal（治す・癒やす）」だと表現しています。**怒りが収まるまで待ち、冷静に意見を言うことで、最後に「癒やし」が訪れる——。この3ステップこそが助け合いであり、正しい怒りの**

表現です。

編集部

マンガではミルもヤスミも「怒りに任せるといい結果にならなかった」と言っていますね。

小川

その一瞬はストレス発散ができて気持ちがいいかもしれません。でも、相手も自分も傷つけて、結果的に苦しむことになる。逆に冷静に対処できたときは、自分を誇らしく思うはず。**同じことを言うにしても、感情で叱責するか、理性を使うのかで受け入れられ方も全く違う。**

編集部

理性を総動員して、あくまで冷静になることが大事なのですね。

小川

みなさんもご存じの哲学者・ソクラテスは、奴隷に罰を与えなくてはならないとき、「もしも私が怒っていなかったら、お前を打ったところだ」と言った。つまり**冷静でないときは罰を与えてはいけない**と逆説的に言ったのです。例えば子どもを叱るのは、子どもが何か悪に陥ったり、悪い習慣が付いたりすることから守るためですが、冷静でなければ守りではなく、単なる破壊になってしまう。

編集部

小川

今回のヤスミもそうですが、疲れがたまったり自分に余裕がなかったりすると怒りが大きくなりがちですよね。

私は怒りというのは、弱さの裏返しだと思います。すぐカッとなる人は、自分の余裕のなさが怒りに置き換えられているともいえる。ですから、普段から時間的・精神的なゆとりを持ち、弱っているときには自分をいたわってあげるなど、工夫も大事だと思います。

アドバイス

ヤスミはどうすべき？

普段から自分の気持ちに余裕を持つための工夫を。怒りを感じたときは感情が収まるのを待ち、理性的に意見を伝え、不正を感じた物事を正す努力をしよう。

Episode 4

『答えが出ないとき、どうする？』

今回の哲学

ネガティブ・ケイパビリティ〈キーツ〉

［キーツは言った…］

物事が複雑な状況にあるときは、拙速に答えを出す必要はない。あえて判断を保留するほうが、人生の可能性が開ける。

ジョン・キーツ
（1795-1821 イギリス）

［キーツってどんな人？］

複雑さの中に美を見いだした詩人

19世紀のイギリスのロマン主義を代表する詩人。25年の短い人生のなかで生み出した、自然や人間の美に関する数々の詩で知られる。詩人や作家の取るべき望ましい態度として「ネガティブ・ケイパビリティ」を提唱した。

…へぇ
じゃあ
お姉さんお仕事
やめちゃったから
ヒマなんだ
うん
なーんか
違うんだよなって
なっちゃって…
あしだ りん
芦田 凛
（35歳・職探し中）
そういう
あなたは
学校は？
最近ずっと
サボってる
おー
いいじゃん
大人なのに
注意しないんだ
大人…
なのかな？
聞いちゃうんだ
私も大人
だから…
テスト勉強とか
とは違って
答えのない生活を
強いられてるの
かなぁ…
子どもだって
おんなじだよ
え…

じゃあ無理にでも答えを
決めてしまって納得したら
進めるのかなぁ

そんなの
ダメだよ

ワン！

答えは好奇心の
最大の敵でしょ？

テスト勉強が
つまらないのも
多分そのせい！

へっへっへっ
へっへっ

そうか…
そうかも

分からないことを
すぐに分かろうとせず
じっくり考えながら
生きていくって結構
難しくない？
ほぉ
よくそこに
気がついたね
子どものくせに
生意気だぞ
子ども…
なのかな
聞いちゃうんだ
お姉さん
明日も来る？
ちょいちょい
え　決めて
ないけど…

どうせヒマなんでしょ？
どうせヒマですよ

この地域に来て初めて…
お友達できた…
あ…友達とか呼ぶのずうずうしいかな…
ウレシイ

未来が見えづらい複雑な時代こそ強く柔軟な「保留する力」が必要

編集部

仕事をやめたリンと同じく、公園で出会った女の子も、勉強が将来にどうつながるのかというモヤモヤを抱えているようです。悩んでも答えが出ないときは、どう対処すればいいのでしょうか。

小川

誰しも、人生において答えが出ない時期はありますよね。ただでさえ変化の激しい時代に、パンデミックや戦争も加わり、全く先が見通せない世の中になりました。そんなときこそ必要になるのが、**「不確実なままの状態を受け止められる強い力」です。そのルーツといわれるのが、19世紀イギリスの詩人、ジョン・キーツが唱えた「ネガティブ・ケイパビリティ」という考え方です。**

編集部

ネガティブ・ケイパビリティ？　それは、どんな考え方なのでしょうか？

小川

言い換えると、**不確実さや未解決状態のなかにとどまる力。つまり、判断を保留する能力のこと。**日本語では「消極的（ネガティブ）受容力（ケイパビリティ）」とも訳されます。例えば、コロナ禍では先が見えない状態でした。そんなときに焦って大きな決断をしても、それがうまくいくとは限りません。**拙速に答えを出さずにいったん保留することで、正解といえる答えを導くためのより多くの可能性を残した状態でいられる**のです。

編集部

確かに、無理に答えを出した時点で、他の可能性は消えてしまいますね…。

小川

もともとキーツは、詩人や作家などの表現には、そうした可能性や余韻のようなものが重要だと考えました。逆に、白黒はっきりさせてしまうと、その可能性を断ち切ることになると。これは芸術だけでなく、あらゆる物事に当てはまるもので、近年では精神医療の分野でも活用されています。

編集部

今回の話を見ると、女の子は〝答えを急がないこと〟の大切さに気づいているようですね。

小川

この能力が最も必要になるのが、**将来などの長期的な物事を考えるとき**。本来、進路や仕事などの未来のことは焦らず慎重に進めていくのが望ましいですが、実際は周りと比べたりして一番慌ててしまうもの。ですから、若い人ほど身に付けたい考え方ともいえます。

編集部

小川先生ご自身は若いころどうでしたか？

小川

私も若いころは、人に後れを取るのが嫌でとにかく選択することを最優先していました。まぁ何事も我慢が足りなかったのだと思いますが。それで第一希望でなくても就職したり、人生のこまを進めたりすることに躍起になっていたのです。その結果、後に後悔することになります。案の定その仕事も向いていなくて、早いうちにやめてしまいました。このやめてしまったというのも、もしかしたら我慢が足りなかったのかもしれません。

編集部

とはいえ、答えが出ない状態は苦しいですよね。サボっている気分になるし、早く解決してスッキリしたくなるのも分かります。

小川

結果を急いで頑張ってしまう人は、ある意味、真面目な人。そういう人は、**答えを出すのを強制的にストップして英気を養う〝ひと休み〟の時期だと考えるとよい**でしょう。ネガティブ・ケイパビリティは単なる〝休み〟ではなく、**水道の栓をいったん締めるような〝スタンバイ〟の時期。**機が熟せば栓が開いて、自然に流れ出します。

編集部

状況がはっきりしてから選べばいいのですね。それでも、不安なときはどう乗り越えればいいのでしょうか？

小川

可能性を楽しむことです。不確実のまま保留したということは、言い換えれば、**まだ何者にもなれる可能性があるということ。そんな自分にワクワクすることで、ネガティブな気持ちも払拭されるはず**です。キーツの詩に「おおメランコリー（憂鬱）よ、しばしここに留まれ」という一節があるのですが、彼は誰よりもネガティブ・ケイパビリティを享受し、その状態を楽しんでさえいた。私たちは物語の分かりやすい結末も、曖昧で想像力をかき立てる結末も、両方の楽しみ方ができる生き物ですから、後者にも目を向ければいいのです。

保留する力をつけるには、答えが出ない物事を受け入れる柔軟性と、動じない強さの両方が必要といえますね。

小川　編集部

そのとおりです。昨今のパンデミックや戦争などで、世界は合理性やマニュアルではどうにもならない大きな力に動かされていると感じた人も多いでしょう。こうした複雑な時代だからこそ、**柔軟性と強さの両方を兼ね備えたしなやかな心が求められているのだ**と思います。

アドバイス

リンはどうすべき？

悩んでも答えが出ない今は、英気を養う〝スタンバイ〟の時期と考え、自然に体が動き出すまでキャリアを保留しよう。今は「何者にもなれる自分」の可能性を楽しむべし！

Episode 5

『会社が業績不振…どう動く？』

今回の哲学　実存主義〈サルトル〉

［サルトルは言った…］

人間はどんなときも運命に抗って、
自分を変えていくことができる。
そして、社会に働きかけることができる。

ジャン・ポール・サルトル
（1905〜80年 フランス）

［サルトルってどんな人？］

実存主義を貫いた“知のスター”

哲学者、作家、活動家。無神論者で、神の運命に任せず自分で人生を切り開く「実存主義」を提唱。民族解放運動の支持など、自らも積極的に社会活動に参加した。権威を嫌い、ノーベル文学賞を辞退したことでも有名。

報告が遅くなったのは悪いと思ってる
ぶう
それもそうだけど私は同期として長い付き合いでしょ？
まぁそうだね
相談もなしに転職だなんて…
しかも海外…
相談…
かもい　みる
鴨居 美留
（35歳・IT・販促）
相談なんてしないよ
そんなの迷ってるやつがすることだろ？
そーだけどさー
さびしーじゃんかー
鴨居さんはどうするの？

え？
競合他社が軒並み倒産していく現状
業績不振
人員削減に伴って増えていく業務負担
正直に言うと僕はもっと将来性を感じるところに行くべきだと思う
まぁ分からないでもないけど…
この会社は好きだよ
でも会社自体が…ひいては社会全体が変わらない限り状況は悪くなる一方だと思う
ん？
個人ができることなんてたかが知れているわけだしさ…
本当にたかが知れている？
え…鴨居さん？
僕なんか変なこと言った？
んー
なんか変なんだよなぁ

別に私だって
諦めず頑張れば必ずうまくいく!
なんて希望を抱いてるわけじゃない
ひとりができることは確かに小さいと思う
ちょこん
できた!
もっと作るぞ
その小さいことが
コロコロ
え…
社会全体にどれだけ影響を与えるかなんて正確には分からないじゃん
おー
すげ
ゴロンゴロン
うわー
個人の努力がどのくらい通用するのか
…なんてどこ行っても予測できないんじゃないの?
…なるほど
そういう考え方だから鴨居さんはいつも積極的に動いているのか
こんな会社…
それに比べて

こんな会社
もう終わってる
…なんて思ってもいないのに
会社を見限ったことにして
未練をごまかしていた
好きな場所から離れるのに
好きじゃなくなる理由なんて
必要ないのに
鴨居さん
僕は…
シンプルに新しい環境に
興味があるから転職する
君の言うとおりだ
変な愚痴を言って
悪いね
や 私こそ文句を
言いたいわけでは…
そうだ今日
飲みに行こうよ
え いいの?
今月で最後
なんでしょ?
さびしいなぁ
困ったな
未練
これ以上
増やしたく
ないのにな…
お店どこにする?

困難から逃げず、積極的に関わろう。小さな行動が自由と希望につながる

編集部

会社の業績不振など、自分を取り巻く環境の壁にぶつかったとき、どうすればいいのでしょうか。会社だけでなく、家族や地域など、何らかの組織に属している私たちにとって、環境の壁は避けて通れない問題ともいえますね。

小川

物語のなかでミルは、**困難な状況を自分で変えていけると信じて、果敢に取り組んでいます。このように「自分で人生を切り開く」という考え方を、哲学では「実存主義」といいます。**これは、既存の価値観が大きく揺らぐ現代において、とても参考になる哲学です。

編集部

実存とは、どういう意味ですか？

小川

実存の哲学は18世紀からあったのですが、それを明確な思想として確立したのが、第2次世界大戦後に活躍したフランスの哲学者・サルトルです。**そのスローガンといえるのが、「実存は本質に先立つ」という言葉。「実存」とは今ある自分の存在や人生のこと、「本質」とはあらかじめ決められた運命のこと。つまり、自分の存在は運命を超える——運命に関係なく人間は自分で人生を切り開いていけると唱えたのです。**

編集部

なるほど！

小川

サルトルはこれを、人間とモノ（ペーパーナイフ）を比べて説明しました。モノは生まれたときから用途（運命）が決まっているけれど、人間は自分でつくっていける存在だと。**ひとりの力は小さいかもしれないけれど、モノとは違って自らの人生を、そして社会を変えていく自由があるのだ**と。

編集部

なんだか、人間の力を信じる思想といえますね。

小川

そのとおりです。当時は戦後で、人々は大きな歴史や運命に翻弄され、人間の存在はちっぽけなものだという無力感が漂っていた。だからこそ人間の主体性を信じる新しい思想に、世界の人々が熱狂したのです。

編集部

とはいえ、自分の人生は自分の意志や努力で変えていけるとしても、周囲の環境を変えて環境の壁を破ることは難しそうです…。

小川

サルトルも同じ壁にぶつかりました。彼は戦争に従軍した経験から、与えられた状況のなかで自由を実現するための方法を模索しました。**そこで導き出したのが「アンガージュマン」という概念です。英語では〝エンゲージメント〟で、積極的に関わること、社会参加を意味します。**実際に彼もアルジェリアの独立運動など、さまざまな政治活動を行ったのですが、結果的に大きなうねりとなって社会を変えることにつながった。

編集部

行動することでしか状況は変わらないということですね。

小川

はい。**変わるかは分からないけれど、ひとりひとりが世の中を変えるために行動をすることが大切で、それが個人の自由の実現につながると彼は考えたのです。何よりも、日々働きかけることで、自分の人生にも希望を見いだすことができます**よね。

編集部

小川先生も行動する哲学者を標榜されていますよね？

小川

その意味では私も実存主義者なのかもしれません。例えば、私のライフワークは哲学をもっと世の中の人に気軽に使ってもらうことです。そのために義務教育に哲学を導入することを訴えています。国会で提案したこともありますが、なかなか難しいですね。**でもだからといって諦めようと思ったことは一度もありません。**

編集部

今回の話でいうと、ミルの同期の男性は、会社の業績不振という環境を変える努力はせずに、転職という方法を選択した。確かに私たちは、こうした周囲の大きな問題から逃げてしまいがちです…。

小川

人生を切り開く自由があることはうれしい半面、不安や苦しさもありますから、多くの人は逃げ出したり、楽なほうに行く。それをサルトルは**「人間は自由の刑に処せられている」と逆説的に表現しました。その苦しさを乗り越えて初めて、人生を切り開いていけると。**

小川　編集部

簡単ではないけれど、希望を感じる生き方ですね。

実存主義の面白さのひとつが、その「巻き込み力」です。実際に、サルトルの行動は世界の人々を動かし、葬儀には5万人もが集まったといいます。うまくいくか分からないけれど行動するミルの姿は、周りも応援したくなりますよね。もしかしたら同期くんも、飲みに行って説得されるかもしれません（笑）。

アドバイス

ミルはどうすべき？

困難な状況を避けるのではなく、主体的に関わることで前向きになり、希望が生まれる。自分から積極的に働きかけて、どんどん周りを巻き込んでいこう。

Episode6

『苦手な人とどう付き合う？』

今回の哲学 **生の哲学**〈ディルタイ〉

［ディルタイは言った…］

人間は、異なる「体験」によりできている。
だからこそ、接すると「抵抗」が生まれる。
それぞれの体験を理解し、うまく共存しよう。

ヴィルヘルム・ディルタイ
（1833〜1911 ドイツ）

［ディルタイってどんな人？］

人生の「体験」を重視した哲学者

哲学者、精神史家。人間の本質は「意識」にあるとするそれまでの哲学から脱して、人間の生をありのままに理解するべきと唱え、「生の哲学」を確立。著書『体験と創作』で有名になり、「体験」は当時の流行語に。

店長が苦手？
うん！
なんか苦手！
私や他のスタッフたちに無愛想だし仕事も少し遅いし
でもヤスミの働いてるスーパー評判いいんじゃなかったっけ？
じん やすみ
神 保実
（35歳・パート勤務）
そう それが不思議なの

あ そうだ
テツオ！マナブ！
晩ごはん食べたらお片づけするって言ってたよね？
はーい

店長の仕事が遅いのはさぁ…
丁寧なだけならそこまで気にならないんだけど

時々じっくり考え込んだり
ヤスミはテキパキしてない人を嫌がるもんなぁ
お客さんのことにらんだりするの
観察してるとかじゃなくて？
え…まぁそう言えなくもないかもしれないけど

お母さん
ん？

お兄ちゃん全然
お片づけしてないよ
テツオなに
やってんだ？
早く片づけ
なさい
テツオ…
それ
もしかして
どこに
片づけるか
考えてる？
うん
これね
お父さんに買って
もらった大事なやつ
だから…
お父さんにも
見やすいところに
置こうかなって…
えっ
ナニソレ
ウレシイ
うん！決めた！
ここがいい！
イイネ！
よく見えます
また商品配置
変えてる…
店長のこと…
違う視点から
考えられたら
なにか変わるかなぁ
難しそう
だけど
店長を変える
よりは可能性
あるかもね
変えるのは
自分の見方…

スーパー
これ裏に移しちゃうね
助かります
そもそも私が一方的に苦手なだけであんまり店長のこと知らないな
ホント仕事早いっすね
すご〜っす
あ ねぇ 店長は？
あぁ…いつものお悩み陳列タイムじゃないっすか？
う〜ん
またか
ってか君もそう思っていたのね

定期的に変えてるけどあれ意味あるのかな…
さぁ
あ でも手巻き寿司のばぁちゃんは喜んでましたよ

手巻き寿司のばぁちゃん？なにそれ？
知りません？

ちょっとでもいいことがあると必ず手巻き寿司を作るばぁちゃんです
息子が仕事で昇進したらしくてねぇ…
孫が漢字検定に受かってねぇ…
あぁあった 海苔
私ね昔から日記をつけてるんだけど
なんと今日で20年になるの
海苔をちょうどいい棚に移動してくれて取りやすいねぇ
脚が悪いから助かるわぁ
って喜んでましたよ
あれ店長が移動させたんっすよね

?
…そっか

店長なにか
手伝えること
ありますか？

商品の陳列も
空いた時間で
手伝えます

結構です
商品は丁寧に
並べたいので…
え…
そ…っすよね

大事にしていることが
私と違うのか…
でも
苦手なことには
変わりない
私が
雑だってこと？
んもぉ！

お母さんは
仕事が早いんだよ
お母さん
雑なの？
バクバク
ムキー

相手の「体験」の背景を知ることでもっと楽に、前向きに共存できる

編集部

誰しもが必ずぶつかる「人間関係」の悩み。職場や身内、所属グループなどで、どうしても合わない人というのは出てきますよね。

小川

なぜ人間関係の悩みが生まれるかというと、そもそも人間は皆違うからです。私たちは機械とは違い、それぞれに**感情や経験を抱えていて、それが人間らしさをつくっています。**このような人間の「生」について、非合理な部分を含めてありのままに捉えようとしたのが、ドイツの哲学者・ディルタイです。彼が唱えた「生の哲学」は、人間関係の悩みにも参考になる考え方です。

編集部

「生の哲学」。どんなものなのでしょうか?

小川

生の非合理性を象徴する言葉が「体験」です。体験というのは、その人固有のもの。だからこそ、他人と接するときに「抵抗」が生まれ、ぶつかることもある。そこで体験に着目すると、「この人はこんな体験があったから、こう考えるんだ」と理解できる。そもそも、私たちは他人と自分のモノサシを比べることで、正しさの基準を判断しているわけですから、**「異なる価値観をすり合わせていくことこそが人生だ」**と、ディルタイは考えたのです。

編集部

確かに、他人がいるからこそ自分をよく知ることができますよね。では、価値観が違う人と共存するにはどうすればいいのでしょうか？

小川

共存のためのキーワードが「理解」です。私たちは他人を変えられませんし、その人の体験を変えることもできません。だから、自分を変えるしかない。今回の話の場合だと、ヤスミは子どもや同僚の言動を通して上司のことを知り、見方を変えようとしている。

編集部

相手を理解することによって、自分の見方を変えるということですね？

小川　はい。**その人をつくっている体験など背景にあるものを知り、理解しようと努力する。**もちろん知り得ないこともありますが、本人と話したり、第三者に聞くことで、誤解している部分が見えてくるかもしれません。その上で最終的に目指すのは、「気にしない」ことです。気にしないというのは、相手を尊重する考え方であり、**何より自分が嫌な気分から解放されて、楽になれる。**ディルタイの考えは、相手のためではなく、自分のための哲学ともいえます。

編集部　自分を変えるのは、こちらが妥協している気もしますね。

小川　ディルタイの言葉を解釈すると、そうではないのです。**相手はなぜ自分と違うのかを理解できれば、妥協ではなく主体的に共存の道を選んだことになる。**もちろん、相手の言動で自分の仕事が進まないといった実害が生じる場合は、話し合いが必要ですけどね。

編集部　いくら相手を知ったところで、受け入れられない価値観もありそうです。

小川　それでいいのです。実際に、抵抗との共存はそんなに美しいものではなくて、相手を

編集部 知ったからといって簡単に「応援してあげよう」とはならない。やっぱり嫌なものは嫌だし、その気持ちはきっと今後も続くでしょう。それはそれとして「気にしない」ようになれればいい。

小川 そもそも、苦手な人がいたら、最初から避ければいいのでは、とも思ってしまいます。

編集部 **避けることは、抵抗との共存ではなくただの我慢で、それこそ妥協**になります。その状態では、何かのきっかけに怒りが爆発する可能性もある。だからこそ「理解する」そして「気にしない」のステップを踏むことが大事なのです。

小川 多様性が重視される現代に、大事な考え方ですね。

編集部 自分と違う価値観を許せず、偏見を持ってしまうのは、やはり理解が足りないから。**理解が広がることで、異なる価値観との共存はできるはずです。**

小川 否定的な意味での人間関係という表現もなくせるでしょうか？

小川

人間関係という言葉が頻繁に聞かれるのは、世の中で異なる価値観同士が衝突している証拠です。**本来人間というのは、異なる価値観を受け入れることで、互いに成長したり、また違いそのものを楽しんだりできる存在のはず**です。だから本当はもっと違いを歓迎したほうがいいと思います。人間関係改め、「人間歓迎」でいきましょう。

アドバイス

ヤスミはどうすべき?

苦手な人を拒否するのではなく、一度「理解する」プロセスを踏めば、相手の行動にある程度納得がいくはず。苦手は苦手のままでいい。気にせず進んでいこう。

Episode 7

『お金の不安、どう向き合う？』

今回の哲学　**お金は〝橋〟**〈ジンメル〉

［ジンメルは言った…］

お金は、行きたい場所にたどり着くための〝橋〟。橋に住み着くことはできない。橋造りに熱中せず、自分がどこに渡りたいのかを見つけることが大切。

ゲオルク・ジンメル
（1858〜1918 ドイツ）

［ジンメルってどんな人？］

哲学と社会学から「貨幣」を考察

哲学者、社会学者。ユダヤ商人の末子として生まれ、現代の個人と社会の葛藤について論考した。哲学では人間の体験を重視する「生の哲学」、社会学では人の心的な相互作用を研究する「形式社会学」の形成に貢献した。

システム手帳
ウィンターフェア
あなたの欲しい！が
きっとみつかる
かっこいいのは
やっぱり高いな…
ちょっと
ダサいけど
こっちで
いっか…
SALE
ALL1000円
そろそろ
待ち合わせの
時間…
ノートPC
タブレット
あ
かっこいい…
ノートパソコン
あしだ りん
芦田 凜
(35歳・職探し中)
うちの古いデスクトップ
パソコンはまだ使えるし
必要ないよね…
リンちゃん
見てこれ！
お小遣いで
買ったの！
お
僕はケンジツだから
お小遣い貯めるの
あんたどこで
そんな言葉
覚えたの…
わぁ
手帳はいいの
買えたの？
じん やすみ
神 保実
(35歳・パート勤務)
う…うん

どうしたの？
リンちゃん
なんだか
うれしそう
パスタ

うへへへ…

欲しいもの買って
喜んでるテツオくん
見てたらなんか私も
うれしくなっちゃって…

でもお兄ちゃん
すぐ使っちゃうから
ブタさんからっぽ
なんだよ
ブタさん？
？
貯金箱のことね
でもさ
でもさ

これが
おうちに置いて
あるのと
これが
あるのと
どっちが
いい？
それはそう
かもだけど…
お金の使い方ひとつ
とっても兄弟でこんなに
違ってくるとはねぇ…
ん？
リンちゃん
どうした？

…2カ所
行きたい場所がある
ちょっと付き合ってほしい

うん
いいよ
仕方ないなぁ

ノートPC
タブレット

リンちゃんが
衝動買いしてるの
初めて見た
48万円って
これ何個？
えっと…

買ってしまった…
しかも超高額

私…

すごいの買ったから
リンちゃんもすごく
なっちゃうね

貯金が減ると
自分の価値も減る
みたいに思ってた…

あ…

やばい
ちょっと
泣きそうだ

お金は目的をかなえるための〝手段〟。「なりたい自分」に投資しよう

編集部

誰もが気になる「お金」との向き合い方。先行きが不透明な現代、多くの人がお金への不安を何かしら抱えています。

小川

まずは、「お金とは何か」を考える必要がありそうですね。こんなときに参考になるのが、ドイツの哲学者ジンメルの貨幣に関する考え方です。**ジンメルいわく、「貨幣とは、最終的な価値への橋渡しにすぎない」。つまり、お金は橋のようなもので、自分が行きたいところに行くための道具だと唱えた。お金は最終目的ではなく目的のための手段で、どう使うのかが重要だというわけです。**

編集部

お金は、目的ではなくて手段。確かにそうですね。

小川

近代になって、貨幣でさまざまなモノが手に入るようになり、私たちは新たな自由を得ました。その一方で、「お金を増やすほど自由になる」という錯覚に陥り、人生の価値や喜びといった〝お金に代えられない価値〟を見失ってしまった。量ばかりに目が行って、**本当に大切な人生の〝質〟を輝かせられない状態——そこに現代人の不満や不安の原因があると、ジンメルは考えた**のです。

編集部

なるほど。けれど将来への不安から、目的もなく貯めている人も多いように感じます。

小川

目的を見極めるには、お金という自由を手にしたときに、まず立ち止まって「さあどう使おう、どうワクワクしよう」と考えることです。また欲しいものがあったら、まずはその気持ちを大事にして、「なぜ欲しいのか、それを使って自分はどうなりたいのか」を考えてみる。

編集部

今回の話でいうと、リンはパソコンを使って人生を切り開きたかった。けれど、「貯金が減ると自分の価値も減る」と感じ、買うのを諦めていました。

小川

実は、その逆なのです。**貯金が減るということは、実際にモノを買って自分に投資し、自分の価値を高めているということ。**これからリンがパソコンを使ってスキルやキャリアを身に付ければ、使った48万円は何千万円にもなり得るでしょう。逆に、何も行動せずにお金を貯めるだけの〝永久機関〟となってしまっていては、自分の価値は減っていきます。

編集部

目的を問い続けて、自己投資することが大事なのですね。

小川

そのとおり。大事なのは、お金を貯めてどうするかです。**全ての投資は自己投資なのかもしれません。**みんな何か自分のかなえたいことのために投資しているはずですから。私は無目的な貯金も無目的な投資もしません。特に若いうちはその傾向が強かったですね。自分自身に投資しておけば、なんとでもなると思ったからです。働きながら大学院に通っていた頃もまさにそう自分に言い聞かせていました。

編集部

けれど金欠の状況では、お金が減ってしまっても大丈夫か不安になり、なかなか使えません。

小川
もちろん生活が厳しいときは、〝今の状況を改善する〟ために、お金を貯める必要があります。そこで焦ってしまうのは、「この年齢ならこれくらい貯金がなきゃ」「あの人には勝たなきゃ」と他人と比べているから。**人生は橋造り競争ではなくて、最終目的地への橋を架けること。**自分の夢をかなえる自分のプロジェクトですから、自分のペースで1円でも貯めて前にさえ進めばいい。

編集部
お金を貯めることに執着して、お金を使うことに罪悪感を覚える人もいます。一方で、衝動買いや浪費がやめられない人も。

小川
そもそも「これだけ貯めれば幸せになれる」というゴールはありません。増えることだけに快感を覚えて、いくら貯めても満たされない状態は、ギャンブルと一緒です。衝動買いも、目的を持たずに刹那的に目の前の欲求を満たしているだけですから、実は、むやみに貯めている人と同じでしょう。

編集部
やはり、目的を持つことが一番重要ですね。

小川

株式投資などで桁外れに儲けていても、目的がない人は、どこか退屈そうであまり魅力的には見えないでしょう。哲学を通してお金のことを知れば、逆に「人生もったいないな」と感じるかもしれません。人生は目的が9割。**自分にとっての最終目的地はどこなのか、改めて考えてみてください。**

アドバイス

リンはどうすべき？

目標のために欲しいものを買うことで、自分の価値は高まった。今後も「自分がどこに行きたいか」を考えて、使ったお金の価値をさらに高めていこう。

Episode 8

今回の哲学 **身体論**〈メルロ＝ポンティ〉

［ メルロ＝ポンティは言った… ］

身体は自分のものであると同時に、世界と自分の意識をつなぐ媒介でもある。身体という〝もう一人の自分〟に任せれば、おのずと心はついてくる。

モーリス・
メルロ＝ポンティ
（1908〜1961 フランス）

［ メルロ＝ポンティってどんな人？ ］

**「身体」を
哲学の主題に掲げる**

フッサールの「現象学」に影響を受け、身体をありのままに記述する独自の現象学を展開。身体は主体でありかつ客体でもある両義的なものだと唱えた。サルトルらと交流を持ち、政治哲学雑誌『レ・タン・モデルヌ』を創刊した。

佐藤さん
10分だけ付き合ってもらえます？
え…？
…はい
かもい　みる
鴨居美留
（35歳・IT・販促）
ピピピピッ
0時間 10分 0秒
タイマー
佐藤さんのおかげでだいぶはかどりました
ありがとう
あの…10分だけでいいんですか？
いいんです
だってこれは…
手をつけるのが面倒で後回しにしている仕事を10分だけやる作戦！
ですので
はぁ…

鴨居さんも
面倒で後回しに
しちゃうことが
あるんですか？
しょっちゅう
ありましたよ
今はたまにですが
そう
ですか…
嘘だ…！
鴨居さん
いっつもテキパキ
してるもん！

私はまだ気持ちを
切り替えることが
なかなかできなくて…

気持ち…

頭の中で
考えていること
感じていること
などを気持ち…
だとした場合

これは
気持ちが先か
行動が先かの
話なんですが…

気持ちがまず最初にあって
そしてそれを行動に移す
私たちは
そう考えて
しまいがちです
疲れたから
お茶を飲もう
違うんですか？

違くもないけど
そうとも限らない
って思うんです
？
思っても
いないことを
言ってしまったり
私はなぜ
あんな言い方を…
具体的な動きを
考えなくても
自転車に乗れたり
右脚に体重をのせて
ヒザをのばしてその次に
え〜っと…
運動し始めてから
気持ちが前向きに
なったり
もし頭で考えたことに
体が支配されている
だけだとしたら
こうはならないはず
たしかに
頭で考えたから行動
するのと同じくらい
行動したから生まれる
考えや気持ちもあるんだと思うんです
あ
それで10分だけ
まず行動してみる
ってことですか？
まぁ そんな
ところです
これが最善の方法って
わけじゃないし
気持ちとか考えとか
行動とか体とか
言い方も定まらないし…
曖昧な言い方しか
できなくて
ごめんなさい
あの…
私はなんで
誘われたんで
しょうか？

頭の中だけが膨らんで
なかなか行動に移せない

そういうときの私に
似ていたからです
ちゃんと見てくれる人
にはバレるもん
なんだなぁ

10分だけ
手をつけた…
手をつけるまでの
この第一歩が非常に
重すぎたんです…！
鴨居先輩の存在
ありがたや！

私…

ウザくなかった？
鴨居くん
ちょっと
いい？
なんか今日は
いけそう
って思って
勇気を出して
誘ってみたけど
どうだった？
はい
鴨居くん？
あれ？
おーい
上司だからって
干渉しすぎ？
ウザかったかな…
心配だよぉ…
考え方の話とか
しちゃったよぉ…

気持ちがうまく動かないときは「体」から働きかけるのも手

編集部　この章のテーマは、気持ちと体との関係について。仕事や勉強、運動など、**頭で「やらなきゃ」と思いながらも、気分が乗らずに行動できないこと**はありますよね。

小川　心と体の問題を考えるときに参考になるのが、フランスの哲学者・メルロ＝ポンティの「身体論」です。彼は「身体」を本格的に哲学のテーマにした人。それ以前は、デカルトの「我思う、ゆえに我あり」の名言にあるように、人間の本質は意識にあり、意識が体をコントロールしていると考えられていた。彼はその逆で、**体が意識に影響を与えている――つまり体こそが重要だと唱えた**のです。

編集部　体が心をコントロールしているということですか？

小川

そうです。メルロ＝ポンティは**「身体は自分のものであって自分のものでない」という両義性（2つの側面）があると考えた。**実際に体を物質として見ると、自分の右手で左手を触ったときに、触っている・触られているという2人の自分がいますよね。さらに、私たちは常に頭で考えて行動していると思いがちですが、実は無意識にやっていることも多い。

編集部

確かに、ミルが例を挙げているように、考えずに体が勝手に動くことはよくありますね。

小川

だからこそポンティは、外部の情報を意識に伝えているという意味で、「身体は世界と自分をつなぐ媒介」と考えた。さらに言うと、「私たちの身体は世界を構成する〈肉〉の一部である」と。これを応用すれば、**頭より先に体を動かすことで、意識をコントロールできるはず。**

編集部

現代では心身相関（心と体は互いに関係を与えている）と言われますし、体から心のバランスを整える瞑想やヨガもこの考え方に近い気がします。

小川

禅にも、体を整えてその枠に心を当てはめるという考え方がありますね。**意識よりも、体を変えるほうが比較的簡単**ですから。さらに昨今は、脳や思考と臓器の関係の研究が進み、メルロ＝ポンティの考え方が科学的にも証明されてきている。面白いですよね。

編集部

体から心にアプローチする考え方は理にかなっているんですね。今回の話でいうと、ミルは「後回しにしていた仕事を10分だけやる」方法を試しています。

小川

とてもいい方法です。**コツは、意識が働く前に体を動かすこと。**しんどいことは意識するとさらにできなくなりますから、一瞬でも〝とりかかる〟ことが大事なのです。

編集部

考えずに体を動かすことで、継続できるようになるということですか？

小川

はい。体の動作が習慣になれば、意識も変わってきます。例えば、私の場合は朝が苦手だったのですが、ある日「何も考えずに、布団から出る」と決めた。頭で理屈ばかり並べると、ますます起きられませんからね。続けるうちに意識が拒絶しなくなり、早起きになりました。

編集部

哲学なのに、考える前に動くというのが面白いですね。

小川

「やるべき」とか「やる理由」は考えず、1つの動作だけを考えるイメージですね。人は長時間頭をからっぽにするのは難しいですが、一瞬ならできる。例えば仕事なら〝パソコンを起動する〟、ランニングなら〝シューズを履く〟など、「体を動かすスイッチを押す」と考えれば、ハードルは低くなるはず。

編集部

現代はネット上で動かずにいろんな体験ができるので、行動することが面倒に感じることも。体は世界と意識をつなぐものと考えると、我々はもっと体を大切にする必要がありそうです。

小川

身体論のいい点は、心身のさまざまな悩みに当てはまる〝万能の剣〟であること。例えば、心の調子が悪いときは、睡眠を取ったり、運動するなど、体を使って気持ちを元気にする。私たちは**頭で悩みを解決すると思っていますが、実は体が解決に導くことも多い。**世間ではよく「もっと頭を使え」なんて言われますが、実は**「もっと体を使え」が正解**かもしれません。

小川　編集部

頭より体ですか。

もちろんバランスが大事なのは言うまでもありません。あくまで使い分けが大事なのだと思います。でも、放っておくと人間はつい頭を重視してしまいがちなので、常に体を使うように意識する必要があるということです。

アドバイス

ミルはどうすべき？

あれこれ考えすぎて行動できないときは、「頭よりも体を使う」のが正解。後輩の佐藤さんも、一歩踏み出したことをきっかけに、気持ちが動き出すはず。

Episode 9

『この勉強に意味はある？』

今回の哲学 **プラグマティズム**〈デューイ〉

［ デューイは言った… ］

知識は目的ではなく、あくまでも道具（手段）にすぎない。自分が「本当にそれで何を実現したいか」を突き詰め、明確化することが大事。

ジョン・デューイ
（1859～1952 米国）

［ デューイってどんな人？ ］

超大国の思想を支える“問題解決の父”

プラグマティズムの立場から道具主義を提唱。問題解決型の教育論でも有名で、学校を民主主義のための「小型の社会」と捉え、皆で協力して能動的に問題を解決する教育を実践。現代のアクティブラーニングの基礎をつくった。

昼休憩
入ります
はーい
はいよ
スーパー
そういえば神さん
最近アレやめちゃ
ったんすか？
アレ？
じん　やすみ
神 保実
（35歳・パート勤務）
たしか簿記の勉強
してませんでした？
あぁ
アレね

なんか疲れたな…
こんなこと
しても意味なさそう
だしなぁ…
って感じで
やめちゃった
ふ〜ん
そういえば

てらいそ
寺磯くんはいつも
昼休みのこの時間
何してるの？
いつもイヤホンしてるけど
お　聞いて
くれます？
いろんな音楽
聞いてるんすよ！
んで古いのも
新しいのもあさって
いいフレーズを
見つけたら…

そこだけ何回も聞いて家に帰ったら耳コピして弾いて録音して
んで次の昼休みに自分の録音と原曲を聴き比べてるんすよ
え　なんで?
え　なんで!
そりゃヤベェ演奏してる奴らの音に近づけたいからっすよ
Guitar words
なんか寺磯くんかっこいいね
…っざす
やっぱかっこよくないと意味ないっすからね…
何かするのにやっぱ意味がないとやって意味ないじゃないっすか?
あれ…?今オレ意味ないって2回言いました?
うん　でも言いたいことは伝わった気がする

簿記の資格を持っていたら便利かもしれない…

その程度の気持ちで始めたんだもん

そりゃあ意味を見失って当然だよな

なんのために勉強するのか…かぁ

ただいま
おかえり!
おかえり!
しゅばっ

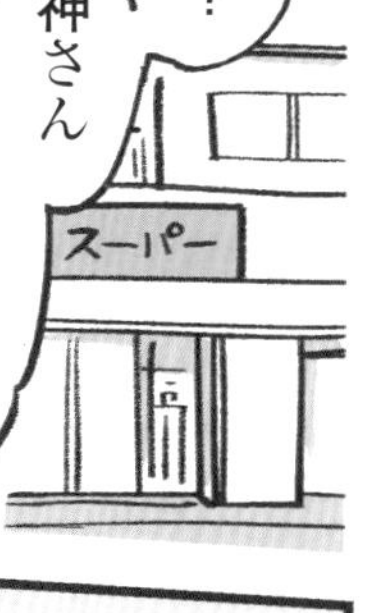
スーパー

お?
神さん
簿記の勉強
復活っすか?
いぇい

昨日の夜
子どもの今後の
お金のために
簿記で学んだことを
生かして家計を
見直してたらなんか
楽しくなっちゃって…

今日からまた
頑張れそう!

勉強は夢を実現するための手段。自分の本当の目的を問い直そう

編集部

スキルアップのための勉強を、最初はやる気満々で始めたものの、続けるうちに大変になり、「これって意味あるの？」とやめてしまったり立ち止まったりした経験を持つ人は多いでしょう。

小川

そんなときに参考になるのが、19世紀後半の米国で誕生し、後に哲学者のジョン・デューイが完成させた「プラグマティズム（実用主義）」という考え方です。**ギリシア語で「行為」や「実践」を意味する「プラグマ」に由来する言葉で、超大国アメリカを支える、今注目の思想なのです。**

編集部

プラグマティズムとは、どんな考え方なのでしょうか？

小川

デューイは「あらゆる知識や概念はそれ自体に価値があるのではなく、日常の具体的な問題を解決し、豊かにするための道具（手段）である」と言いました。つまり、道具そのものよりその道具を使って何を実現したいかが大事だと。こうした考え方を「道具主義」と呼びます。

編集部

知識は道具だから、あくまでも使うことが大事？

小川

そうです。プラグマティズムは簡単に言うと「**やり方はどうあれ、結果的にうまくいけばそのやり方が正しい」という考え方です。**それまでのヨーロッパ大陸の哲学は、知識自体の追求が目的でした。けれども、米国は何もないゼロの状態から国を開拓する必要があったため、知識は問題解決にどう使えるか、生きるためにどう役立つかという点を重視したのです。まさに実践主義の開拓者精神を反映した、米国らしい思想といえます。

編集部

既存の概念にとらわれず、とりあえずやってみることが大切なのですね。

小川

プラグマティズムは「結果よければすべてよし」の単なる結果主義ではなく、**イノベーションのための哲学ともいえます**。その典型といえるのが、アップル創業者のスティーブ・ジョブズでしょう。彼は既存の理論に従うよりも、試行錯誤を重ねることでMacやiPhoneなどの発明品を生み出してきた。

編集部

今回の話でいうと、ヤスミは「簿記で何を実現したいか」を問い直すことで、やる気を取り戻すことができました。

小川

彼女がやる気を失った原因は、資格の勉強自体が目的になっていたからでしょう。「役立つ」とか「昇進する」というのは、表面的な目的にすぎません。**「資格を取ることで、何を実現できるのか、どんな毎日を過ごせるようになるのか」を突き詰めることで、初めてモチベーションにつながり、ワクワクできる。**もちろん、考えた結果「必要ない」と思えば、やめてもいいのです。

編集部

中学生、高校生などの勉強は学びで何が実現できるか目的が見えづらいもの。中高生はどう考えればいいですか。

小川
将来何がやりたいのかを具体化し、勉強がどの部分に役立つかを考えれば、やる気につながるはず。例えば、パイロットになりたいなら、数学や英語、その他の科目がどんなシーンで必要になるのか思い描いてみる。教える側も、まずそうした見方を教えてあげると、高いモチベーションをもって聞いてもらえるかもしれません。

編集部
見方が変わると、やる気も全く変わりますね。

小川
何かの説明書を読むときもそうです。「本当に役立てて何かしたい」と思うと必死に読みますが、目的意識なく読んでいると、頭に入らないでしょう。

編集部
プラグマティズム、現代のさまざまな問題解決に使えそうです。

小川
原理原則にこだわらず、自らの立場を柔軟に捉えて修正を加えながら問題を解決していく姿勢は、学びだけでなく、仕事や人間関係など幅広い悩みに応用できます。実際にデューイは「問題解決の父」といってもよく、米国のリーダーや起業家たちにも多大な影響を与えています。既存のシステムが立ち行かない複雑な時代、ますます大事な考え方だと思います。

編集部

「問題解決の父」ですか？

小川

正確にいうと、「問題解決型学習の父」ですね。今流行りのアクティブラーニングや探究学習、PBL（Problem/Project Based Learning）の原型をつくった人なのです。そのプロセスが、社会課題や企業の課題の解決にも使えるということです。その意味でデューイの哲学からはこれからも目が離せません。

アドバイス

ヤスミはどうすべき？

あらゆる知識は、理想の生活や夢の実現につながっている。勉強で得た知識と夢をもっと結びつけ、今後の人生で実現できることを探してみよう。

Episode 10

『孤独とうまく付き合うには？』

今回の哲学 **孤独論**〈ショーペンハウアー〉

［ショーペンハウアーは言った…］

孤独を愛することは、自由を愛すること。
むしろ、自分と向き合うことで、
人生はますます楽しくなる。

アルトゥル・
ショーペンハウアー
（1788〜1860 ドイツ）

［ショーペンハウアーってどんな人？］

**ペシミズムの立場から
幸福を追求**

裕福な商人の家庭に生まれるが、商売より関心のあった学問の道に入る。若くして注目されるも野心が原因で挫折、隠とん生活に。厭世主義（ペシミズム）の立場からむしろ意志や欲望を諦めることで幸せになれると説いた。

ご注文繰り返します
カブとキノコのトマトパスタ
小エビと春野菜のクリームパスタ
ベーコンとナッツのペペロンチーノ
以上でよろしいでしょうか?
はーい
3人で会うのすごい久しぶりじゃない?
ね!
リンちゃんともミルちゃんとも2人で会ったりはしてたけど
3人そろうのは貴重だよね
私は最近仕事やめて暇だし
私は繁忙期を乗り切ったし
私も最近子どもたちにつきっきりって感じでもなくなったし
あしだ りん 芦田 凜 (35歳・職探し中)
かもい みる 鴨居美留 (35歳・IT・販促)
じん やすみ 神 保実 (35歳・パート勤務)
羨ましい…
へ?
家に帰るとひとりだから寂しいわけよ
私は実家の母とあんまり仲良くないし
誰とも会わない休日ばっかりで寂しいかも
旦那さんがいて子どもが2人いて
にぎやかな家庭のヤスミンが羨ましい
実は…

2人の言う寂しさとは
違うかもしれないけど
私は私で最近
「寂しい」って思う
ことが増えたの
最近うちの子たち
どんどん生意気に
なっちゃってさ
少し前までは
お母さんと
一緒じゃなきゃ
イヤだ!
もー
なんて
言ってた
くせに…
ひとりで
やってみたい
僕も!
私ね
自分の時間を子どもに
費やした分だけ子どもに
依存していたみたい…
ひとりがいい!って
言って出かける子どもを
見送って思ったの…
ひとりの時間って
何してたんだっけ?
私、何が楽しいん
だっけか?
んー
それって状況は
違うけど…
大きなくくりで言ったら
私たち似たような問題を
抱えているんじゃない?

寂しさを
紛らわしたい
というよりは
孤独を愛する方法を
知りたい…
みたいな？

びくっ
それだ！

あ
すみません
お待たせ
しました

孤独を愛するって
どうやるの？

まずは目の前の
料理を各自で真剣に
楽しむとか？
おいしそう

目の前の
料理…

おいしい
おいしい
おいしい
……
せっかく3人で集まってるのに？
なんか違くない？
たしかに…
たしかに
ふ
変な提案してごめん
ホントだよー
真面目にやる私たちもどうかと思うよ

孤独は自分とつながる「自由」な時間
〝楽しさ〟を突き詰め、自分を高めよう

編集部

テクノロジーの進化や高齢化社会、コロナ禍もありましたし、**現代は孤独を感じるという人が増えていると言われています。**

小川

私たちは、孤独を〝負け〟のように否定的に捉えがちです。しかし、その真逆で「**偉大なる精神の持ち主になると、孤独を選ぶようになる**」と肯定したのがドイツの哲学者・ショーペンハウアーです。人が完全に自分自身でいられるのは、ひとりでいるときだけ。そのうえで「**孤独を愛さないものは、自由をも愛していない**」**と説きました。**

編集部

孤独は寂しいものではなく、むしろ自由であるということ？

小川

はい。彼自身も挫折して隠とんした経験から、孤独のなかで真理を発見し、自分を高めていったという自負があったのでしょう。**彼は人生を交響曲のパートではなく、ピアノのソロ演奏に例えて、「精神の豊かな人は、ひとりだけで小世界をつくり上げている」と言いました。**実際にそんな人たちを見たときに、私たちは孤独とは思わないし、むしろかっこいいと感じるでしょう。

編集部

確かに。でも、SNS時代、他人とつながっていないと不安を感じるという人もいます。

小川

もちろん、他人と過ごすことで新しい知見や刺激を得られます。けれど、得たものを自分のなかに落とし込むには、ひとりの時間が必要です。**ショーペンハウアーの言う〝いい意味での孤独〟とは、自分と向き合うこと。**それにより、自分は何を考えているのか、何を得たのか、何をしたいのかが見えてくる。その結果、精神が自由で豊かになり、自分の価値が上がっていく。彼自身も、他人に迎合せず真理に向き合う生活を送るなかで、自然と人が集まるようになりました。**要は、ひとりの時間とみんなとの時間を使い分けることが大事なのです。**

編集部

ヤスミのように人と一緒にいても孤独を感じる場合もありますね。

小川

ひとりでいても誰かといても、「みんなはどうしてるかな」などと他人のことばかり気にしていれば、寂しい孤独になってしまう。だからといって、寂しさを紛らわすために人とつるんでばかりいると、真理をつかみきれずに空っぽのまま。寂しい人こそ、自分と向き合う孤独の時間を取る必要がある。孤独を愛することは、自分を大事にすることと同義なのです。

編集部

とはいえ実際にひとり時間が長いと、つらくなることも。孤独を愛するいい方法は？

小川

自分と向き合ってつらくなるのは、「私ってなんだろう？」と自分探しをしているから。最もいい方法は、**自分の心や体が喜ぶことを通して、自分と向き合うこと**です。ひとりで映画を見るとき、私たちは映画を通して、自分の内面から出てくる感情や感覚を味わっている。ソロキャンプも、たき火をして星空を独占しながら、自分と対話して向き合っているのです。

編集部　小川先生は何かされていますか？

小川　私は毎日ひとりで走ったり、ひとりで晩酌したりしていますが、**いずれも自分と向き合う時間になっています**ね。どっちも好きなことだからというのもありますが、そもそも自分に向き合うためにやっているからかもしれません。そうでなければ、誰かと走ったり、飲んだりしたほうが楽しいでしょう。でも、目的が違うのです。そうやって自分に向き合うために好きなことをすれば、つらいなんてことは全くないと思います。

編集部　今回は、3人が「目の前の料理を真剣に楽しむ」を試しました。マインドフルネスに通じる考え方ですね。

小川　ポイントは真剣に「集中する」こと。このとき私たちは目の前の料理ではなく、自分に集中しているのです。自分の内面を観察して「いまどう感じるか」を実感することで、自分の喜びがさらに広がっていきます。

編集部　自分の〝ソロ演奏〟が磨かれれば、人と一緒にいる時間も充実しそうです。

小川

その通り。だから私は、**孤独を「孤得」と漢字を変えたらいい**と考えます。孤という字がネガティブなら「個得」でもいいでしょう。ひとりだからこそ得られる〝得〟がある。すると本人の価値が増して、人が寄ってくる。そこでみんなで「こんな〝得〟があったよ」と共有する。そうすると、人間関係ももっと豊かになるはずです。

アドバイス

3人ともどうすべき？

ひとりの時間こそ、自分の心や体が喜ぶことをどんどん発見しよう。自分と向き合うことで自らの価値が高まり、人と過ごす時間ももっと楽しくなる。

Episode 11

『相手が思うように動いてくれない！』

今回の哲学 **リバタリアン・パターナリズム〈サンスティーン〉**

［サンスティーンは言った…］

人は、指示しても自分の自由を主張するもの。みんなが協働するためにはうまく〝示唆する〟ことが大切。

キャス・サンスティーン
（1954年〜 米国）

［サンスティーンってどんな人？］

行動経済学と法哲学から「ナッジ」を提唱

ハーバード大学ロースクール教授。専門は憲法、法哲学、行動経済学。オバマ政権では行政管理予算局の情報政策および規制政策担当官を務めた。『#リパブリック』（18年）ではSNSがもたらす民主主義の危機と改善策を論じた。

ここ とか
どうかな？
にごり湯！
良さそうじゃん
料理は？
カニ
カニかぁー

かもい みる
鴨居美留
（35歳・IT・販促）
あしだ りん
芦田凜
（35歳・職探し中）
ってか、やっぱ3人の
旅行計画だからヤスミン
なしで決めにくいな…
まーね

今朝になってマナブくん
のインフル発覚でしょ？
仕方ないよ
そうだね

ん～ 仮で旅館
決めちゃうってのも
なんか気が引けるな
たしかに
やめやめ
せっかくカフェに
来たんだから腰を
据えてのんびりしよ

それでね！
うちの会社ったらさぁ

IT企業のくせに
最新のソフト導入を
ずっと渋ってんの！
ホント信じらんない！
しかも上司を説得して
済む話とかじゃなくて
部署の過半数の賛成を
得られないと導入を進められないの！
なんでそこだけ民主主義なわけ？
のんびりする
とか言いながら
結局仕事の話
してるじゃん

だって仕事しか
してないんだもん
聞いてよもぉ～～
はいはい

どう考えてもこのままじゃ効率悪い！
現状維持なんてありえない！
って言ってんのにぜんぜん聞いてくれないの
ホットラテをひとつ
はい

言い方を変えてみるとかは？
え？

こうしなさい！
って直接言われると人ってなんか抵抗したくなるじゃん
ムッとするというか…
ん　まぁそうだけど

でもさー直接言わないと伝わらないじゃん

『北風と太陽』的な感じでさ…

✕ 賛成してくれますか？

じゃなくて

○ 反対する人はいますか？

って聞くの

賛成と反対を選べることに変わりないじゃん

確かにそれはそう

賛成する？反対する？同じことを聞いているだけなんだけど・・・

みんなスーツバシッと決めて真面目な顔なんかしちゃっててもさ

大っぴらには言わないけれど本当は「めんどくさい」を基準に生きてると思うの

「賛成する？」って聞かれて賛成しちゃうと…
最新ソフト導入に積極的に動かなきゃならなそうでめんどくさいから…
賛成しない
今のままでいいじゃんか
「反対する？」って聞かれて反対しちゃうと…
論理的な理由を考えて流れに異を唱えなければならなくてめんどくさいから…
反対しない
なるようになるでしょ
聞き方ひとつで反応が変わったりすると思うんだ
あ でも職場での承諾を取る所定の形式が決まっているならそんな工夫はできないか…
リンちゃん
天才！
アプローチ変えてやってみる
え…いえい
パチパチ
パチパチ

個人の〝選択の自由〟を尊重しながら皆にとって「よりよい選択」に導こう

編集部　**「やって」と言われると、「そんなことは分かっている」「あなたに言われたくない」と反発したくなるのが人間です。**「他人の行動」を変えることはなかなか難しいもの。

小川　そんなときに参考になるのが、経済学に心理学を合わせた「行動経済学」の分野で有名な**「リバタリアン・パターナリズム」という思想**です。2003年に法学者で哲学者のキャス・サンスティーンと、経済学者のリチャード・セイラーが提唱したもの。**現代人が〝協働〟するための思想として、社会学や政治学、法学などの思想面でも重宝**されています。

編集部　どんな思想ですか？

小川

「リバタリアニズム」は個人の自律を求める〝自由至上主義〟、「パターナリズム」は親のように見守り介入する〝父権主義〟のこと。21世紀に入って個人の自由が追求されるなかで、人々の協働が困難になった社会背景もあったのでしょう。**〝個人の自由〟と〝有効な介入〟のバランスを取るために生まれた思想**と言えますね。

編集部

自由と介入、なかなか両立が難しそうですね。

小川

サンスティーンらはその実践理論として「**ナッジ**」を唱えました。「ナッジ」は、ひじで小突くとか、それとなく気づかせるという意味の英単語。つまり正面切って強要すると抵抗されるので、**それとなく注意を向けることで、よりよい行動を後押しする方法**です。この理論は、08年の共著『ナッジ（実践 行動経済学）』がベストセラーになったことで公共政策や法律、ビジネスの世界にも広がりました。

編集部

「リバタリアン・パターナリズム」を実践する仕組みが「ナッジ」ということですね。実際に社会ではどのように使われているのでしょうか？

小川
有名な事例は、彼らの著書にもあるアムステルダムのスキポール空港です。男子トイレが汚い問題をなんとかするため、便器の内側に小さな〝ハエ〟を描いたところ、利用者は無意識にハエを狙うため飛び散りが減り、きれいになった。もう1つは、食堂の健康メニューの話。国や会社が「体にいいから健康食を食べましょう」と勧めても人は抵抗するものですが、「本日のおすすめ」にさりげなく健康定食が置いてあると、つい選んでしまうもの。

編集部
確かに！　やらされている感がなく行動できるところがポイントですか？

小川
その通り。ナッジは公衆衛生の分野で広く使われていて、コロナ禍では「思わず手をきれいにしたくなる」ように、消毒液の置き場所を決めるなど幅広く活用されました。逆に言えば、**世の中は「ナッジ」にあふれていて、ある程度そこを自覚する必要があるとも**言えますね。

編集部
今回の話でいうと、「最新のソフトを導入しましょう」と言うと、変化を嫌って反対する人が出てくる。**そこでリンが提案したのが「導入に反対しますか？」と聞く方法。理由づけが必要になって反対のハードルが上がるため、賛成する人が増える。**「面倒なことは避けたい」という人間の心理を利用して、〝日和見派〟を賛成に導く方法とも言えます。

小川

上手なナッジだと思います。一方であからさまな誘導には、「ずるい」「だまされた」といった批判が出ることもある。**だからこそ注意したいのは、導かれていると相手に意識させないように、倫理的に活用すること。**強要されたと感じるようでは、単なるパターナリズムになってしまいますから。

編集部

おせっかいがすぎると、嫌がられるということですね。

小川

相手の好みや性格をよく知って、相手に合わせてナッジをすることが大事です。また、反対派の意見もフォローしないと、結果的に成功しても禍根を残すことになる。人々をまとめる〝協働〟の知恵として、バランスよく使うことが大事です。

編集部

悪意が透けて見えるといけないということですね？

小川

その通りです。**いかにも行動を阻んでいるというのが相手に伝わるとよくない**でしょう。実はサンスティーンは後にスラッジという概念も唱えています。ぬかるみを意味する言葉です。つまり、目の前にぬかるみがあれば、あまり前に進みたくないですよね？　それと同じで、ある行動をさせたくないような時には、あえて行動をとどまらせるような仕掛けをすることを提案しています。これがスラッジです。例えば、サブスクリプションの解約を面倒にすることで、それを防ぐというような感じです。こちらは負のナッジと呼ばれていて、合理的な行動を阻むものとされます。もしかしたら今回の事例もスラッジに当てはまるかもしれません。いずれにしても、大事なことは相手への配慮だと思います。

アドバイス

ミルはどうすべき？

人を動かすには「リバタリアン・パターナリズム」は有効な手段。ただし相手のことをよく理解し、相手に合わせたナッジをする工夫が大事。反対意見のフォローも忘れずに！

Episode 12

『繰り返す試練に、心が折れそう！』

今回の哲学 **超人思想**〈ニーチェ〉

［ ニーチェは言った… ］

人生とは、同じ苦しみや物事を繰り返す「永遠回帰」である。その苦しみを受け入れて立ち向かう「超人思想」で乗り越えよう。

フリードリヒ・ニーチェ
（1844〜1900 ドイツ）

［ ニーチェってどんな人？ ］

「道徳」にとらわれない思想を貫く

24歳でスイス・バーゼル大学教授となるが、体調不良により辞職。孤独と病苦の中で哲学を追求した。キリスト教を「奴隷道徳」と呼び、ニヒリズムを生むと批判。現代思想に多大な影響を与えた。著書に『ツァラトゥストラ』ほか。

じん　やすみ
神 保実
（35歳・パート勤務）
面接前日からそんなに緊張してどうすんのよ…

あしだ　りん
芦田 凛
（35歳・職探し中）

だって…知らない人と話すの久しぶりすぎて怖い…
声ちっさ
リンちゃん面接なんて何度もやってきたじゃん

何度やっても慣れないよー
はなして

リンちゃん何度もやったの？
わ
え…就職面接は何度かやってるってだけだけど

すごいや
リンちゃん！
スーパーヒーロー
ってことじゃん！
どゆこと？
スーパーヒーロー
最近の流行り
みたいだよ
流行り？
戦隊モノ…
なつかしー
あ…
怪人
たおした
たとえどんな敵が
来ようとも！
我々は
何度でも戦う！
でも
忘れないで…

君のために本当に戦ってくれるのは・・・
君だけだ
君が何度でもがんばる限り僕らも戦う！
自分のためにがんばれるのは自分だけ・・・
そんな当たり前のことをたしれていたかもしれない…
じ〰〰ん
でしょおお！
え・・・マジ？刺さってる・・・なんで？
かっ
…っこいい！

自分で何度もやるっていうのがすごいんだってさ！

はぇー

自分のために何度でもがんばるのだ！

僕たちは毎日毎日学校に行っているからがんばっているスーパーヒーローだし…

たしかに

お母さんは毎日毎日お仕事したりごはん作ったりしてるからスーパーヒーローなんだ！

彼らに影響されて子どもたちがそう言ってくれるのはまぁ・・ちょっとうれしいかな

自分だけの価値基準を見いだし「今の私」を超えて、強く生きる

編集部 人生には理不尽なことが多くて、繰り返しの苦難にくじけそうになることも。困難や悩みはどう乗り越えればいいのでしょう？

小川 人間は弱い存在だからこそ、いかに強く生きていくかが難題ですね。そこで参考になるのが、ドイツの有名な哲学者、フリードリヒ・ニーチェの思想です。**ニーチェいわく、人生は同じことを繰り返す「永遠回帰」のプロセス。**つらくてもこの永遠回帰を受け入れることで、強く生きられると説いた。そのうえで、**困難に対して何回も立ち上がって超えていく存在を「超人」**と言ったのです。

編集部 「永遠回帰」を超えていく人が、超人？

小川

その名のとおり〝超える人〟を意味するドイツ語ユーバーメンシュの訳で、英語ではオーバーマン、今回の話でいうスーパーヒーローですね。ニーチェ自身も傷心や病気、孤独に生涯苦しんだため、人生観がシビアで現実的です。**自分を鼓舞しながら、人々に強く生きていくべきだと訴えた**わけです。

背景にあったのは、当時絶対的な存在だったキリスト教道徳の退廃です。キリスト教は弱い人を慰める宗教。**次第に皆が神という存在にすべてを委ねる**ようになり、それが人生に意味はないという「ニヒリズム」(虚無主義)、ひがみや負け惜しみの精神「ルサンチマン」を生んだとニーチェは考えました。だからこそ**絶対的な価値観を壊し、更新するために、「神は死んだ」と宣言**したのです。

編集部

「主体的に生きよ」というメッセージに勇気づけられます。けれど、苦しみが繰り返されると嫌になるもの。

小川

本当の超人になるために、ニーチェは「**自分だけの価値基準を持て**」と言いました。世の中の善悪は道徳や世の中の平均値のようなもので決められますが、実は何の根拠もない。**つらいときこそ世間の常識に流されていないかを振り返り、「自分次第で変えられる」という意志を持って超えていく**のです。

編集部

とはいえ、世間の評価や批判が気になるのが人間。自分だけの価値基準とはどういうものなのでしょうか？

小川

ニーチェに言わせると、それは率直さです。つまり、自分が生きてきた人生に素直になることで、おのずと価値基準は決まってきます。いわばその人の人生が基準をつくるのです。自分では気づいていないことも多いですが、意外とみんな一貫性があるものです。

編集部

そうした率直さに自覚的になるにはどうすればいいでしょうか？

小川

自分の過去を振り返ることですね。どんな時に喜びや楽しさ、嫌な気持ちを感じたかを書き出すことで、自分軸が可視化される。そして神は死んだと宣言し、自分だけの新しい神（＝価値基準）に基づいて生きるのです。そうすれば、もし失敗しても前向きに進んでいけるはず。

編集部

自分の中で絶対的な価値を見いだしても、変化が速い現代ではその価値が失われることもあるかもしれません。

小川 それこそが「永遠回帰」です。単に同じ苦しみが複製されるのではなく、ひとつ乗り越えたとしても、世の中の変化に伴い、似たような苦しみが繰り返されるもの。**そこで意味がないと思えば苦しくなるし、逆に「次に生かせる」「経験値が上がる」と意味を見いだすことができれば楽しめる**はず。

編集部 前向きな姿勢ですね。

小川 「永遠回帰」を言い換えるなら、私の大好きな言葉の「一難去ってまた一難」。弱くネガティブな思想と捉えられがちですが、実は真逆で、強い人ほど困難に挑戦するので、また新たな困難に直面するわけです。**「よし、もう一度！」と次の苦難を待つくらいの気持ちで生きられたら満ち足りた人生になります。**生きることの真理を突いた、最強の境地だと思います。

編集部 最強ですか。だからこそ人は時代を越えてヒーローに憧れるのかもしれません。

小川 ヒーローとは一歩踏み出して超えていく存在。ニヒリズムやルサンチマンに陥っている人も本当は憧れている。でも実は**ヒーローは自分の心の中にしかいません。**ヒーローが現れるかどうか、つまり今の自分を超えられるかどうかは、自分の考え方次第なのです。

アドバイス

リンはどうすべき？

ヒーローが現れるかどうかは自分の考え方次第。
自分の中にいるヒーローを出現させ、
自分の基準を持って人生を力強く進んでいこう。

Episode 13

『信頼されるリーダーになるには？』

マジ…？
鴨居さん
一回も指示を出してない

今回の哲学 **カリスマ的リーダーシップ**〈ブッダ〉

［ 手塚治虫の『ブッダ』の哲学 ］

人を従わせようとするのではなく、自然と人が従うような生き方をせよ。

ブッダ
（※紀元前5～前6世紀 インド）

［ ブッダってどんな人？ ］

悟りを開いた仏教の開祖

現在のインドとネパールの国境付近にあった小国シャーキヤ国（シャカ族）の王子として誕生。本名ガウタマ・シッダールタ。修行のなかでカリスマ的リーダーに成長し、“目覚めた人”を意味する「ブッダ」となる。

※諸説あり

鴨居さん お願いです！
助けてください！
あ…
う…うぁ…
ハァハァ
これは幻の…期間限定の超人気おつまみ！
フグのヒレより濃厚に香りつつ永遠に食べ続けてしまうほどの爽やかさ！
血眼で求めても2袋しか買えなかった珠玉の品…極上黄金鮮魚堂の「くじらのしっぽ」

ハッ
いかんおちつけ
た、助けてってどういうこと？

実は私、先月から小規模企画のリーダーをやっていまして…
そのことで相談したいんです

あー…この時期になると若手がやらされる
結構無茶振りなグループリーダーの体験かぁ
私も苦労したなぁ…
かもい みる
鴨居美留
（35歳・IT・販促）

リーダーとして頑張って指示してもみんな思うように動いてくれないんです

やっぱり若手じゃ説得力がないってことでしょうか？

説得…というか
みんなの納得が必要だと思う…

？？？
納得？

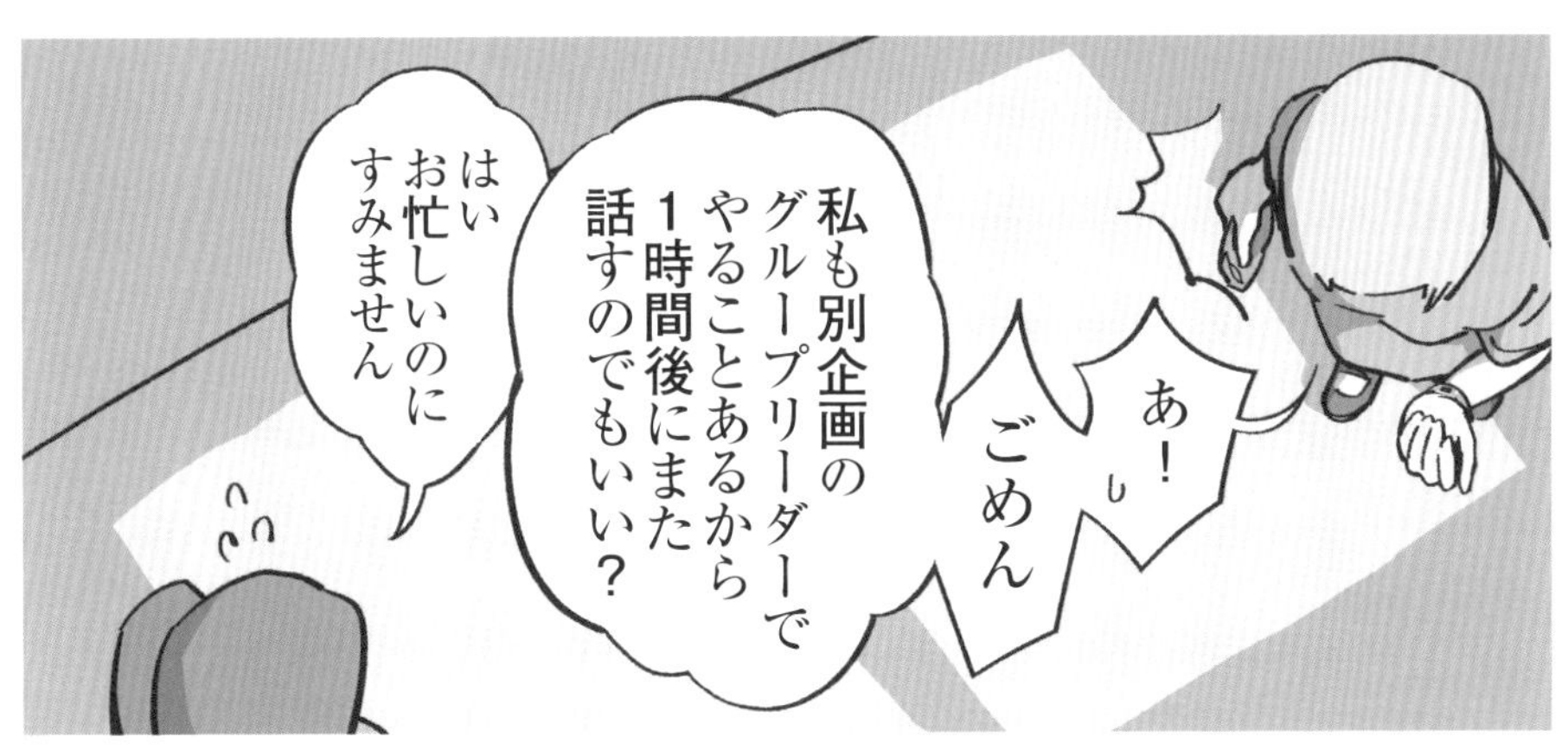
あ！
ごめん
私も別企画のグループリーダーでやることあるから1時間後にまた話すのでもいい？
はい
お忙しいのにすみません

鴨居さんみたいなリーダーになれたらいいのにな…

はっ

見て盗めばいいじゃん！
たたっ

鴨居リーダーはどんなふうに指示を出すんだろう

この部分についてもっと深く理解しておきたくて
あぁここは前回の資料と照らし合わせると分かりやすいんですが…
……
というか前回の資料を添付すればいいのか…
すみません修正しておきます
ありがとうございます
あれ？鴨居さんそれって…
予算集計の準備です
あーもうそんな時期か
鴨居さんはリーダーなんだからこういうのは私らに任せてくださいよ
業務に手を付けやすくするのもリーダーの仕事でしょう？
はいはい
マジ…？
鴨居さん一回も指示を出してない

説得するんじゃなくて
納得してもらう…

君は決められた
方針に従って
やってくれれば
それでいいから
え…
たしかに
今まで…
とにかく
そういう方針
なんです
…まぁ
やれってんなら
やるけどさ

お待たせして
ごめんね

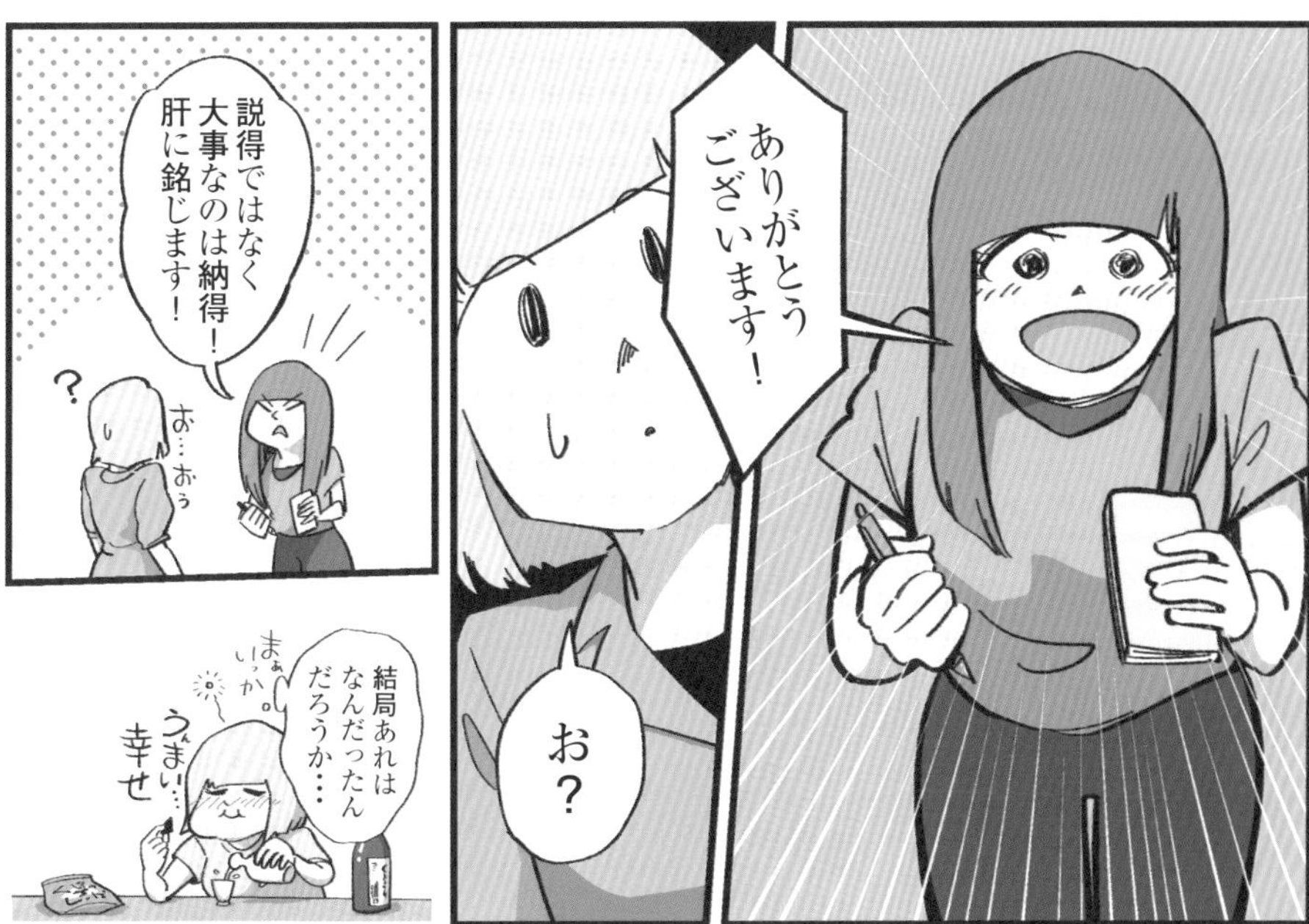
ありがとう
ございます！
お？
説得ではなく
大事なのは納得！
肝に銘じます！
?
お…おぅ
結局あれは
なんだったん
だろうか…
まぁいっか。
うまい…
幸せ

日々「善く生きよう」と努めることでおのずと〝優れたリーダー〟になっていく

編集部

リーダーシップに悩んでいる人は多いですよね。今の時代、強引に引っ張りすぎると〝パワハラ〟と言われますし、逆に頼りないのも困りものです。

小川

おっしゃる通りです。私もそれでよくリーダーシップについて話してほしいとか、研修をしてほしいという依頼を受けます。かつては割と強く引っ張っていくリーダーシップが求められましたから、イタリアの思想家マキアヴェッリの『君主論』を読む経営者などが多かったと思います。でも**今はむしろ傾聴や共感を重視したサーバント型（奉仕型）のリーダーシップが求められる時代**ですよね。

編集部

やはり強く引っ張るか、やわらかい態度で臨むかの二者択一になるのでしょうか？

小川

必ずしもそうではないと思います。今、私がリーダーのお手本にしたいのが、仏教の開祖・ブッダの思想です。そもそも**ブッダは神ではなく、悟りを開いて心穏やかに生きることを追求した人物。**このように**真理を探究する営みは哲学であり、思想**と言えるでしょう。実際に、ブッダは弟子や信者を集めようとしたのではなく、そのカリスマ性に自然に皆が集まって大教団が形成されたのです。

編集部

それが、カリスマ的リーダーシップ?

小川

そうです。かつては強いリーダーが支持されましたが、社会が大きく変化しているこの時代に、1つの価値観で率いるのは難しい。その点で**ブッダのカリスマ的リーダーシップは現代の多様な価値観を包摂(ほうせつ)するリーダー像と言えます。**今回は、特に私がブッダの生きざまがよく現れていると感じる**手塚治虫さんのマンガ『ブッダ』を題材にリーダーに必要な5つの要素**を話したいと思います。

編集部

ぜひ知りたいです!

小川

1つめは**仲間への尊敬**です。自分を〝役立たず〟と卑下する奴隷に対して、「つながりの中でおまえは大事な役目をしているのだよ」と心を惹きつけた。**周りを認めて尊敬するからこそ、信頼関係が生まれて、人がついてくる**のです。

2つめは**スケールの大きさ**です。弟子のダイバダッタに「この自然にとってあらゆる生きものにとって大事なことなのかよく考えなさい」と言い、エゴのない人間性の大きさを自ら示した。これは、**SDGsなど地球全体を視野に入れた行動が重視される現代にも響く要素**と言えるでしょう。

3つめは**無欲。人間が世界や自然を変えるという考えは〝おごり〟だとして、謙虚な心を持ち続けた**のです。

4つめが**使命感と圧倒的な能力**です。ブッダは「この仕事は私でなければできない」と強い使命感を見せ、晩年まで人々を救う旅に出た。同時に圧倒的な能力を示すことで、みんなを納得させたのです。

最後は**敵をつくらない**ことです。弟子のダイバダッタはずっとブッダにライバル心を抱いていて、死に際にブッダのことを「憎い」とつぶやきました。それに対してブッダは「おまえの敵はおまえ自身なのだ」と言い、**自分の欲を捨てることで苦しみから逃れられる**と説いたのです。こうした真理を、ブッダは教えだけでなく態度で表したわけです。

編集部

どれも簡単ではないですが、大事なリーダーの要素ですね。「説得よりも納得」とありましたが、これらを実践できる人なら、誰もが納得してついていきたくなるはず。

小川

ここで大切なのは、**ブッダは決して行動を仕向けたのではないこと**。おそらく心から皆を信頼して委ねていて、皆もそれが分かっていたのだと思います。**周りを信頼して任せ、最後の責任はとる**。そうやって信頼関係を築くのが近道でしょう。

編集部

なるほど。その能力は練習すれば身に付くものですか？

小川

練習というよりも〝修行〟でしょうね。**日々善い生き方をするように努め修行するなかで、条件を満たした人がおのずと〝良いリーダー〟になっていく**。

編集部

器を広げるわけですね。ちなみに先生はどんなリーダーシップを意識していますか？

小川

学生たちにとって、「この先生の言うことを聞きたい」と思われる人間になることです。**特に大事にしているのが「使命感と能力」**。〝学生たちの成長〟という使命感と同時に、哲学の面白さをもっと知ってもらうために、常に圧倒的な能力を持つ人でありたいと思っています。

アドバイス

後輩はどうすべき？

ミルのようなリーダーになる必要はない。日々、善き人間になるための生き方を実践すれば、おのずと優れたリーダーになっていく。

Episode 14

『〝本当にやりたいこと〟は何？』

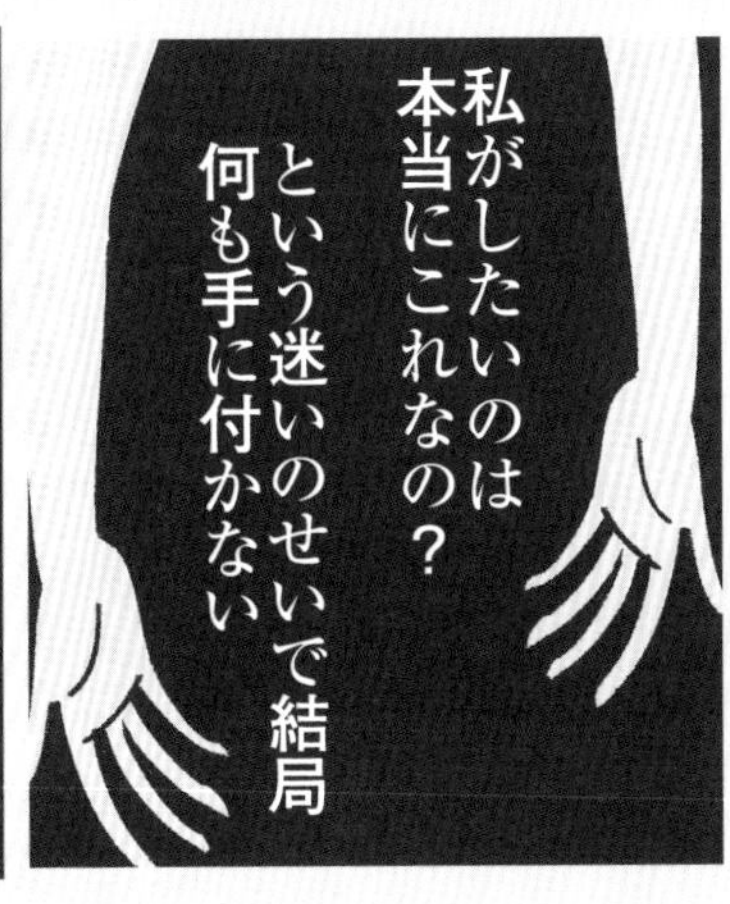

今回の哲学　**純粋経験**〈西田幾多郎〉

［西田幾多郎は言った…］

自分にとって大事なものを見極めるときは、主観と客観に分ける前の「純粋経験」に素直に従えば、迷うことなく前進できる。

西田幾多郎
（1870〜1945 日本）

［西田幾多郎ってどんな人？］

日本独自の哲学を構築した先駆者

「京都学派」の創始者。京都帝国大学教授として、西洋哲学と大乗仏教を融合した日本独自の哲学を構築。参禅と思索が結実した『善の研究』が当時のベストセラーに。彼が思索して歩いた小道は「哲学の道」として知られる。

ふむふむ
やりたいことがあってもすぐ迷いが生まれてしまう…と
そうなんです

私がしたいのは本当にこれなの？
という迷いのせいで結局何も手に付かない

ということなんですね？

そうなんです
芦田 凜（あしだ りん）
（35歳・職探し中）

これは…末期ですねぇ
ええ…

ただの学校サボり気味な中学生に相談してる時点でだいぶ末期ですね
たしかに
あなたが非常に大人びているのでつい…

何に迷って進めないのか
具体的に伺いましょう
例えば…
どっから出した？

何か資格を取った
ほうがいいよな
と思い立って
始めた勉強が
全然長続き
しなかったり

飽きた

本当は
やりたくないけど
理由を探して
挑戦して…結局
やめた話じゃん

え〜っ!!

やりたいことってやる前に余計なこと考えたりしないもんじゃないの？
例えばこれ
私の最近の自信作
え…
え？
なにこれキレイ！
苺タルト…すごいコレ作ったの？
ま…まぁまぁまぁいろんなレシピを試しつつ自分なりにアレンジできるまでけっこう苦労したし見た目には特にこだわった方だし？といってもそんな大げさに騒ぐほどのアレじゃないんじゃない？
すご
ふぁ〜
ホントすごいよ！
ケーキ屋さんになれるじゃん
がしっ
あ！
それだよ！すぐ合理的なこと考えるじゃん！
え！

私はただ宝石みたいに
キラキラのケーキを
作ってみたくて…
イチゴを輝かせるために寒天を…
タルト生地を固めにしたいなら強力粉を…
気がついたら
ノートに計画を書いて
ネットのレシピを参考に
作り始めてたの

…たしかに
それこそ私が思い描く
「やりたいこと」じゃん!

気が
ついたら…
そう!
気がついたらつい
やっちゃうこと

…リンちゃんも
きっと探したら
そういうの
あるよ
え…名前で
呼んでくれた

ヤじゃない?
ちょー嬉しい

んー

気がついたら
ついやって
しまうこと…
なんだろ
…うろ

名前で呼ぶの
緊張したなぁ!
ワン!

価値観が揺らぎやすいときこそ理屈で考える前の素直な心に従おう

編集部　小川

本当にやりたいことの見極め方って難しいですよね。自分の得意なことや、やりたいことって何だろうと分からなくなることもあります。

自分の大切なものは何か、どう生きるべきか――そんな行き詰まりを感じたときに参考になるのが、戦前の哲学者・西田幾多郎の思想です。西田は本当に正しいことや真理を探究するなかで、目的に向かって合理的に考える西洋哲学を問い直し、自ら実践していた禅の思想と融合した独自の哲学を構築しました。彼は著書『善の研究』で、**善（最も良いこと）を〝才能の開花〟と位置付け、それを実現するものが「純粋経験」**だと唱えたのです。

編集部

才能の芽は「純粋経験」にあるというわけですね。どんな経験なのでしょう？

小川

純粋経験とは、経験の一歩手前の、**主観と客観が混ざった状態のこと**です。私たちは何かの物事と接するとき、客観（物事）を主観（私の心）で捉え、その物事を経験する。言い換えれば、経験というのは私たちが物事を認識したり判断したりすることなのです。けれど西田は、その**経験の直前の、主観と客観が一体化した瞬間にこそ真理がある**と考えました。

例えば、何か美しい音楽が聞こえてきたとしましょう。「何の音楽だろう」と考え始める前の瞬間から、「ベートーベンの曲だ」と分析するまでの一瞬に、経験以前の純粋な体験が存在する。つまりその段階では、**物事をあるがままに受け止めるので、素直に自分のやりたいことが見つかりやすい**のです。

編集部

純粋経験が大事なのは、〝善〟をつかむからでしょうか？

小川

そうです。同時に西田は、**善とは「真の自己を知ること」であり「人格の実現」**だと考えました。私たちが物事を主観で捉えることは、いわば異なる対象が自分の内面に入ってくること。つまり、経験が始まった瞬間から対立が始まるのです。一方で、純粋経験は主と客が一体の、あらゆる矛盾が共存する状態。人間に当てはめると〝**自他を分け隔てない優れた人格**〟**であり、これこそが善**だと考えたのです。

編集部

瞑想(めいそう)で心を統一して、悟りや調和を目指すという禅の思想にも通じますね。

小川

瞑想は、自分と周りの環境を一体化して「無」になること。それをふまえた彼の思想は、「無の哲学」とも呼ばれます。近代の合理思考で排除されてきた**人間本来の豊かな体験を取り戻すための思想**であり、昨今では世界の分断を乗り越え、平和を実現するために重要な思想と世界的に評価されています。

編集部

平和のための思想ですか？

小川

はい。大げさに聞こえるかもしれませんが、**そもそも対立が生じるのは自分と相手を分けるから**です。敵と味方というふうに。そこを一体化すれば、敵などいなくなります。日本にはそういう敵も味方もなくす思想があるのです。これをもっと世界に広める必要があると思います。その意味で、合理的に考えるというのは必ずしもいいことばかりではないのです。

編集部

マンガでは、リンは自分がやりたいことを「役立つかどうか」と、ついつい合理的に考えています。

小川

行き詰まる理由は、自分と自分がやりたいことを分けて考え、本来自分に向いていることに目を向けていないから。この女の子が言うように、自分が気持ちいいと感じることや直観に素直に従うことで、やりたいことが見えてくるはず。

編集部

「気づいたらやってしまうこと」も純粋経験と言えますか？

小川

意識せずやってしまうのは、主と客を分けて考える前の瞬間ですから、純粋経験の一つと言えます。やりたいことを見つけるために、**普段ぼんやりした時間に自分が何をしているのかを振り返る**のもいいですね。

編集部

でも年を重ね、経験を積むほど理屈で考えがちで、純粋経験が難しくなります。

小川

もちろん、生きていくには論理的な思考や経験は不可欠です。そのうえで西田が勧めるのは、自分にとって大事なものを考える瞬間は、純粋経験の素直な感覚に従うこと。

自分が好きなものを見失わないためにも、普段から思考を意識して使い分けることが大事ですね。

小川　編集部

やはり使い分けなのですね。

そうです。哲学の視点というのは、もうひとつの物の見方だと思うのです。普通にやっていてはうまくいかない時や、ここぞという時に思考のモードを変える。そのスイッチチェンジができるようになると、人生はよりよくなっていくに違いありません。

アドバイス

リンはどうすべき？

本当にやりたいことのヒントは、自分が「ついやってしまうこと」や「気持ちいいと感じること」にある。一度洗い出してみよう。

Episode 15

『仕事人生、これでいいの？』

今回の哲学 **幸福論**〈ラッセル〉

［ラッセルは言った…］

自分の内側ばかりに目を向けるのではなく、外界に目を向けて客観的に生きることで、幸福は獲得できる。

バートランド・ラッセル
（1872～1970 イギリス）

［ラッセルってどんな人？］

20世紀を代表する知の巨人

数学や記号を論理学の手法で分析し『プリンキピア・マテマティカ（数学原理）』を出版。その後政治や教育活動に力を入れる。著書『幸福論』など、さまざまな著作が評価されてノーベル文学賞を受賞した。

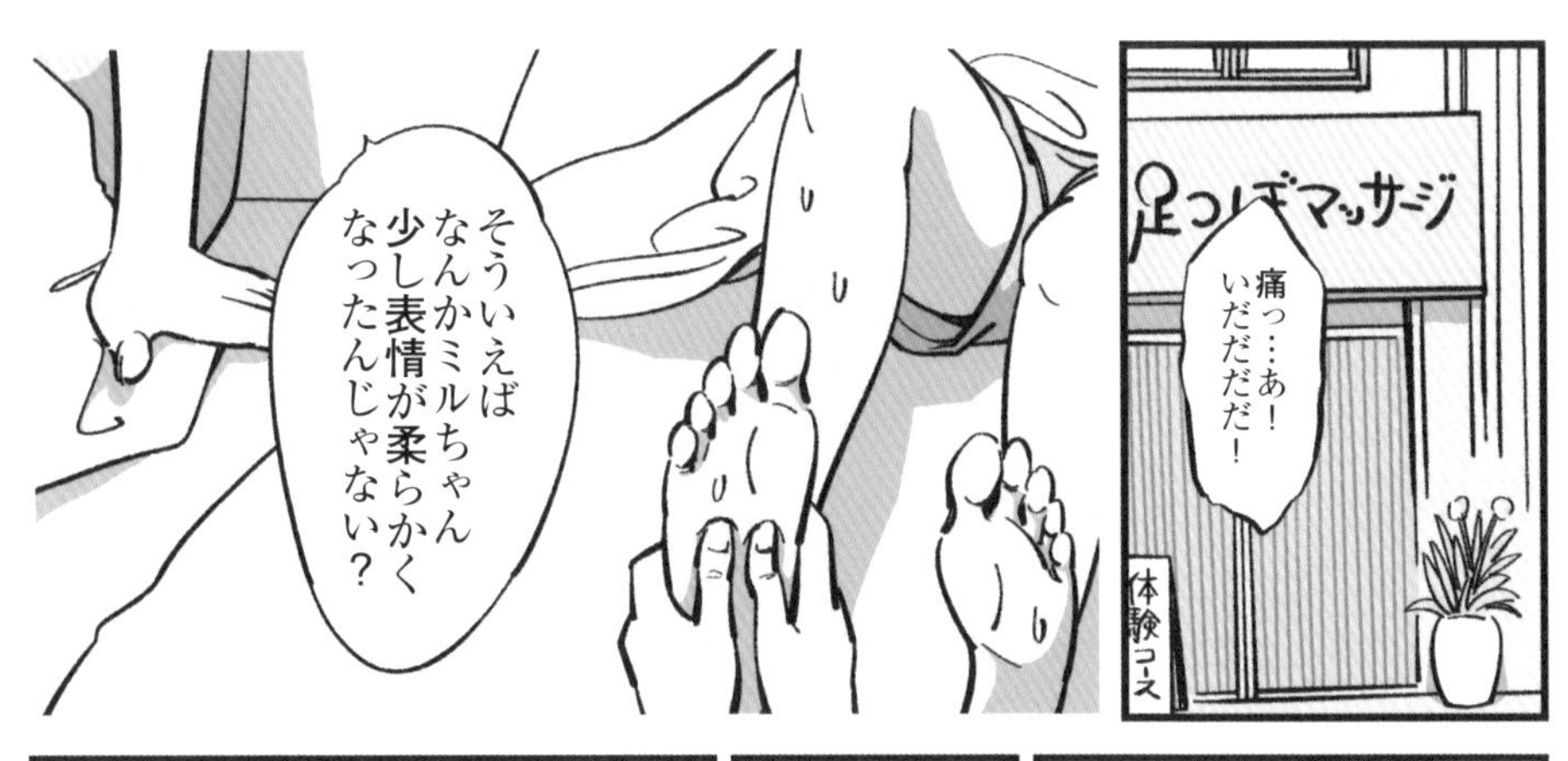
足つぼマッサージ
痛っ…あ！いだだだだ！
体験コース
そういえばなんかミルちゃん少し表情が柔らかくなったんじゃない？

メニュー 60分～ オプション 足裏ほぐし リンパほぐ
鴨居美留（かもい みる）
（35歳・IT・販促）
え…
痛…

どこが？

違う違う今この瞬間じゃなくて
今日会ったとき何かが吹っ切れたように見えたから
神 保実（じん やすみ）
（35歳・パート勤務）

吹っ切れたというか諦めただけなん
いだだだ！
だっ！
痛い
諦めた？
マッサージ師
ここは肝臓ですねぇ
飲みすぎ注意です

いてて…
私…仕事しかやってこなかったから

休日も仕事に役立つ体験や
勉強を探していろいろやったり
しちゃってさ…
周りの人たちに
負けないように
成長しなくちゃ！
っていう気持ちが
原動力だったのに最近
それに疲れちゃって

なんのために
バリバリ働いて
いたんだっけ？
って思って…
気がついたら
ヤスミンに
連絡してた
光栄です

仕事を頑張るだけで
幸せだと思っていたん
だけどなぁ…
……

ちょっとだけ
ウチの子たちの
話していい？
うん
もう2人とも
小学生だよね

気になることを
見つけ出す天才だから

成長するために
今まで頑張ってきた
でも成長と幸せは
直結しないことが
分かった

成長を諦めた
って言うけどそれは
仕事以外に目を向ける
余裕ができたってこと
なんじゃん？

んーーー
そうかも
だけど…

ヤスミンの子たちみたく
素直に興味を持って動く
って私にもできるかなぁ…
もうすでに
やってるじゃん

足ツボやってみたい！
って誘ってくれたの
ミルちゃんじゃん

ヤスミ…

ジ…！

あだだだ！
なにそこ！
すっごい痛い！
あらら
ここも肝臓
ですねー
飲みすぎ注意
です

自分の「外」への興味が多いほど幸せになるチャンスが増える

編集部 小川

日本人は世界でも「幸福度」が低いことで知られています。多くのものを手にしても満足できなかったり、ミルのように何か一段落したタイミングで燃え尽きたりすることもあります。

幸せについて考えるときに参考になるのが、イギリスの哲学者・バートランド・ラッセルの思想です。核兵器廃絶や科学技術の平和利用を訴えた「ラッセル＝アインシュタイン宣言」でも知られる人物です。ラッセルは「三大幸福論」のひとつと称される『幸福論』（1930）の中で、**「幸せになるために最も重要なのは、自分ではなく外界に目を向けること——つまり〝客観的に生きる〟こと」**だと言いました。頑張っているけれど充実感がない、幸せを感じない理由のひとつは、**自分の内にばかり興味を**

向けて主観的になっているから。幸せになるには、自分を俯瞰（ふかん）し、幅広く外に目を向けるバランス感覚が大事なのです。

編集部　幸せのカギは、客観的な視点ですね。具体的にどうしたらいいのでしょう？

小川　外界に熱中できることを見いだすことです。ラッセルいわく、**その対象は「趣味」でいい。**趣味は基本的に外部の何かを好きになって始めるもので、外に向かうための行為と言えます。私たちは何かに熱中したり打ち込んだりしているとき、何かを思い煩う余裕もありません。熱意は幸せを増やす大事な要素で、落ち込んだり悩んだりしたときでも思考の切り替えを助けてくれるものなのです。

編集部　仕事でも何でも、熱中できるものがあるのは幸せだけれど、主観的な思い込みが強くなると幸せから遠ざかってしまうということですか？

小川　そうです。ラッセルは**幸せになるには、まず不幸の原因を取り除く必要がある**と言いました。不幸の最大の原因は主観的な「とらわれ」、つまり**自分のことばかり考えること。**そこから生まれる代表的なものが、今回のミルにも当てはまる**競争、疲れ、ね**

たみです。特に仕事には嫌なことや「すべきこと」も多く、その「とらわれ」は私たちを内向的にしやすい。だからこそ、外界への関心が多ければ多いほど、熱中すればするほど、解き放たれて幸せになるチャンスが増えるのです。

編集部

なるほど。しかし、忙しいと趣味はつい後回しにしてしまいますね。

小川

趣味は心が躍らないと続きませんから、**まずは行動してみて、〝興奮〟を感じたものをやり続けること**です。私が仕事でご一緒している芸人のロッチのお2人は趣味人として有名ですが、実はコカドケンタロウさんはもともと無趣味で、無理やり1年に1つの趣味を始めて1年間続いたものだけを継続してきたそうです。そうしたら自然に多趣味になり、毎日が楽しく幸せになったとか。ですから、**最初は少し無理にでも始めてみるといいかもしれません。**

編集部

小川先生は何か趣味をお持ちですか。

小川

私は仕事人間でまさに無趣味だったのですが、今は韓国ドラマを見ることを趣味にしています。ある時はまって、それ以来趣味と公言して見続けています。そうすると、

編集部

そこから韓国文化に関するものがいろいろ好きになってきたのです。K-POPのような音楽もそうですし、韓国料理を作ったり、韓国の伝統文化やファッションまで楽しんだりするようになりました。**意識することで世界が広がり、仕事人間だった頃より幸せになった気がします。**

小川

確かに「好き」や「楽しみ」を多く知る人ほど、幸せな人生を送れそうです。

『幸福論』の原題は〝The Conquest of Happiness〟で、直訳すると「幸福の獲得」。つまり**幸せは偶然やってくるものではなく、自ら能動的に手に入れるものということ。**ラッセル自身も思春期は内向的で不幸だったのですが、数学への情熱がそこから救ってくれたと言います。さらに生涯を通して政治学、教育、平和活動ほか幅広い分野で業績を残した、まさに〝行動する哲学者〟。58歳で書いた『幸福論』は、自らの人生の経験と観察によって実証された方法論と言えます。

編集部

自ら幸福をつかみにいく姿勢は大事ですね。

アドバイス

小川

みんなが多くの問題に直面して〝戦い疲れ〟するなか、コロナ禍で時間が生まれて趣味を始める人が増えたのはいい傾向だと感じました。一般に年齢とともに世界が狭くなりがちですが、**外に目を向け続けて熱中するものがあれば、個々人とそれを取り巻く社会の幸福は広がっていくはず**です。

ミルはどうすべき?

今回の気づきは諦めではなく、むしろ積極的な幸福獲得への一歩である。仕事は世界の一部にすぎない。外に目を向け、積極的に趣味を見つけて没頭してみては?

Episode 16 『争いをどう切り抜ける？』

争いの先には何も無いから…
子ども達には柔軟に切り抜けていってほしいな…

今回の哲学 **無為自然**〈老子〉

［老子は言った…］

余計なことは何もせず、あるがままに合わせることによって、実はすべてのことをしているのだ。

老子
（中国・生没年不詳）

［老子ってどんな人？］

春秋戦国時代を生きた道家の始祖

『史記』によると楚の人で周の守蔵室（図書館）の書記官。道徳を修め、名もなき存在であることをよしとした。周を去るときに教えを請われて書き上げたのが『老子』と言われる。実在を疑問視する声や複数人存在するという説も。

ただいま～
つかれた～
じん　やすみ
神 保実
（35歳・パート勤務）

え…何？
ケンカ？

ケンカじゃない

いいじゃん貸してよ！
大事なやつだからダメ

お…お兄ちゃんの…

ゴッ
ケチ

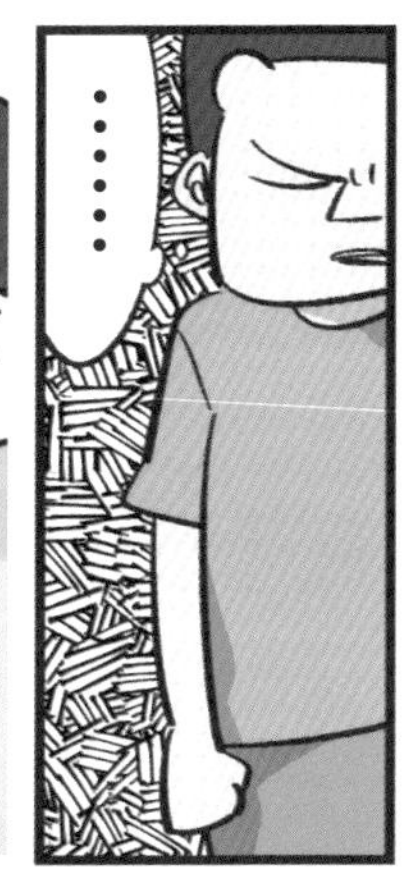

顔に当たると思わなかった…

ごめんなさい

マナブの暴力はよくないそして仕返しを我慢したテツオは偉い

本当はそう思うけど…そのまま伝えるのはなんか違う気がしただけで

ん〜

争わずに柔軟に…
案外むずかしいのかも

翌日
店長ぉ！
ジャス　ンスーパー

激ヤバクレーマーっす

お前が店長か！この店は一体どーなって〜
はい！はい
申し訳ありません
うわ…すっごいいちゃもん
対応が悪いって言ってんだ
はい…はい…誠に申し訳ありません
この店のバイトは本当に最悪だな！

承知しました…それでは…
きちんと謝罪するために監視カメラでどんな問題があったのか確認したのち
ウッ
警察も交えて誠心誠意対応させていただきます

ふん！こんな店二度と来るか！
感動だ…店長は見事争うことなく柔軟にしりぞけた…

ってあの瞬間は確かにそう思ったんだけど実はあれも立派な「争い」だったよな…
「警察と監視カメラ」という強い単語が単に相手を打ち負かした瞬間だったのでは…？

でもあれ以上にいい対応が思いつかない
やはり人は争うしかないのか？
ぐぬぬ…
争わないで手伝ってほしいっす

争いに行き詰まったら〝逆転の発想〟あらがわない、自然体の生き方が最強

小川　編集部

職場でも家庭でも、人とぶつかる機会ってありますよね。

争いや競争が絶えない時代、疲れを感じる人も多いかもしれませんね。そんな我々に〝もう1つの視点〟を与えてくれるのが、春秋戦国時代を生きた道家の始祖・老子の思想です。中国の思想といえば、当時も今も孔子の儒家が主流ですが、老子の存在はその永遠のアンチテーゼでもあります。分かりやすく言うと、孔子はあらゆる物事を論理的に分析し、カテゴリに分けることで問題を解決した。一方で、**老子はその区別が争いを生むと考え、正反対の解決法を提示した**のです。

編集部

どんな思想ですか？

小川

老子の思想の根幹にあるのは、「**すべてはひとつ」という考え方**です。**それを表すのが「道（タオ）」。**道は万物を生み出す宇宙の原理であり、人為的な区別や対立を超えた自然の摂理を指します。老子は、すべてはこれに従えばうまくいくと説いた。なかでも有名な言葉が、作為をせずあるがままの状態をよしとする「無為自然」。「**何もしないことによって、実はすべてのことをしている**」のだと。

編集部

物事にあらがわず、自然に身を任せるほうがうまくいくということですか？

小川

そうです。老子は同様に「上善は水の如し」、つまり物事の最善の状態は水のように逆らわないことだと言いました。水は遮るものに逆らわず、相手の形に合わせて自然のままに流れていきます。人間関係で言うと、無理に我を通すと互いに傷ついたり、しこりを残したりすることもある。そこで相手に合わせて柔軟な態度に出ると、いつのまにか相手も折れてくるもの。**柔らかく弱そうなものが、実はしなやかで最も強い**のです。当時は戦乱の世でしたから、争わずして勝つ戦術とも言えるでしょう。

編集部

逆転の発想ですね。でも、相手に合わせるのは妥協と感じる人もいるのでは？

小川

そうではありません。「無為自然」はただ何もしないのではなく、全体を俯瞰して最もよい動きをすることです。**単に相手に合わせるのではなく、どうすれば社会やみんながしこりを残さず、ひとつに丸く収まるかを考え行動する。**状況に合わせての柔軟さが必要です。

編集部

今回の話では、店長はクレーマーに対して第三者を持ち出して相手をしりぞけました。

小川

実は、これも立派な争いなんです。「こっちには武器がある」と言っているわけですから。老子なら相手に共感して「おっしゃる通り」と丸く収めるでしょう。ここで重要なのは、**マニュアル通りの言葉ではなく、心から共感すること**です。

編集部

共感力が大事というわけですね。

小川

その通り。そのためには、まずひと呼吸おいて冷静になる。次に「なぜこうなったのか、なぜ怒っているのか」と周囲の状況をよく感じ考える。最後に、余計なことをせずいま必要な行動をとる。この3ステップで解決していけるはずです。

編集部　理想や欲を追求する現代人にとっては、少し現実離れした思想のようにも感じます。

小川　老子は国を統一するといった大きな功績があるわけではありません。それでも、本質を突く老子の思想は、儒教とともに常に中国人の精神の核にあり、世界中に影響を与えています。

編集部　実際に使われているということですね。

小川　はい。私たちは現実を生きねばならない一方で、戦いに疲れてのんびりしたいという側面もあるのです。**普段は孔子的に生きて、疲れたら老子的に返ってもいい。**両方の視点を持つことで、争いのない幸せな世界に近づけるはずです。

編集部　疲れたら老子というのがいいですね。

小川

そうなのです。人が争うのは、ある意味で疲れているからだと思います。疲れたらイライラしますよね。そんな時**冷たい水を一杯飲むように、老子の思想を読めばいいのです**。理屈にこだわっていた自分や、競うことにあくせくしていた自分がふと癒やされるのではないでしょうか。先ほど「上善は水の如し」という言葉に触れましたが、老子の思想そのものが物事の最善の状態をもたらしてくれる水なのかもしれません。

アドバイス

ヤスミはどうすべき？

人は争うばかりではない。
争いを収めるだけでなく、無化することもできる。
〝争いをなくす〟という理想を目指して前進しよう。

Episode 17

『人間関係のしがらみにうんざり！』

今回の哲学　**万物斉同**（ばんぶつせいどう）〈荘子〉

［荘子は言った…］

全てはひとつしかない。
全てをあるがままに受け入れることで
とらわれから逃れ、人生を自由に遊ぼう。

荘子
（B.C.369〜B.C.286頃）

［荘子ってどんな人？］

達観主義を貫いた道家の思想家

中国の戦国時代、老子と同じく無為自然を説き、人為（人手が加わること）を否定した。著書に『荘子』。同じ結果であるのに目先の違いにとらわれてしまう「朝三暮四」、人為が豊かな生命を奪う「渾沌の死」など、多くの寓話を残した。

あ…この絵いいな
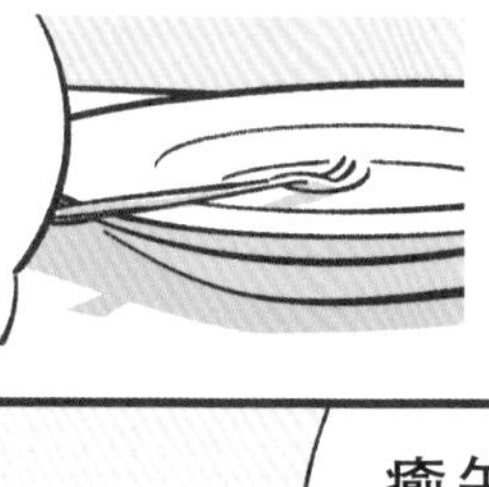
ふーお得ランチだけあってボリュームあったね

そうだねもうおなかいっぱい

午前の疲れが癒やされるー
鴨居美留（かもい みる）
（35歳・IT・販促）
ミルちゃん勉強会だったんだっけか？
おつかれさま
芦田凜（あしだ りん）
（35歳・職探し中）
うんリンちゃんは美術館行くって言ってたよね？
うん…
どしたの？美術館つまんなかったの？

そういうわけじゃないの…
ミルちゃんは私にとってバリバリ働いて休日にも勉強会に行く超人って感じでかっこよくて…
比べて私は優雅に絵を見てる場合なのか?ってときどき焦るわけよ
……
頑張っている自覚はある
でもあんまりよくない傾向だなって最近思うの
え?なんで?
頑張っているからこそ自分より頑張っている人を見ると落ち込むし
自分より怠けている人を見るといら立つ
私なんて…
味方なのに使えないやつ
この考え方はサイテーだ…
そう思ってもっと健全に頑張りたくて啓発的な本なんか買って読んじゃってさ
「一歩引いて周りを冷静に見てみましょう」
そんな一節が目にとまったの
試しに社内を全体的に見渡してみると…

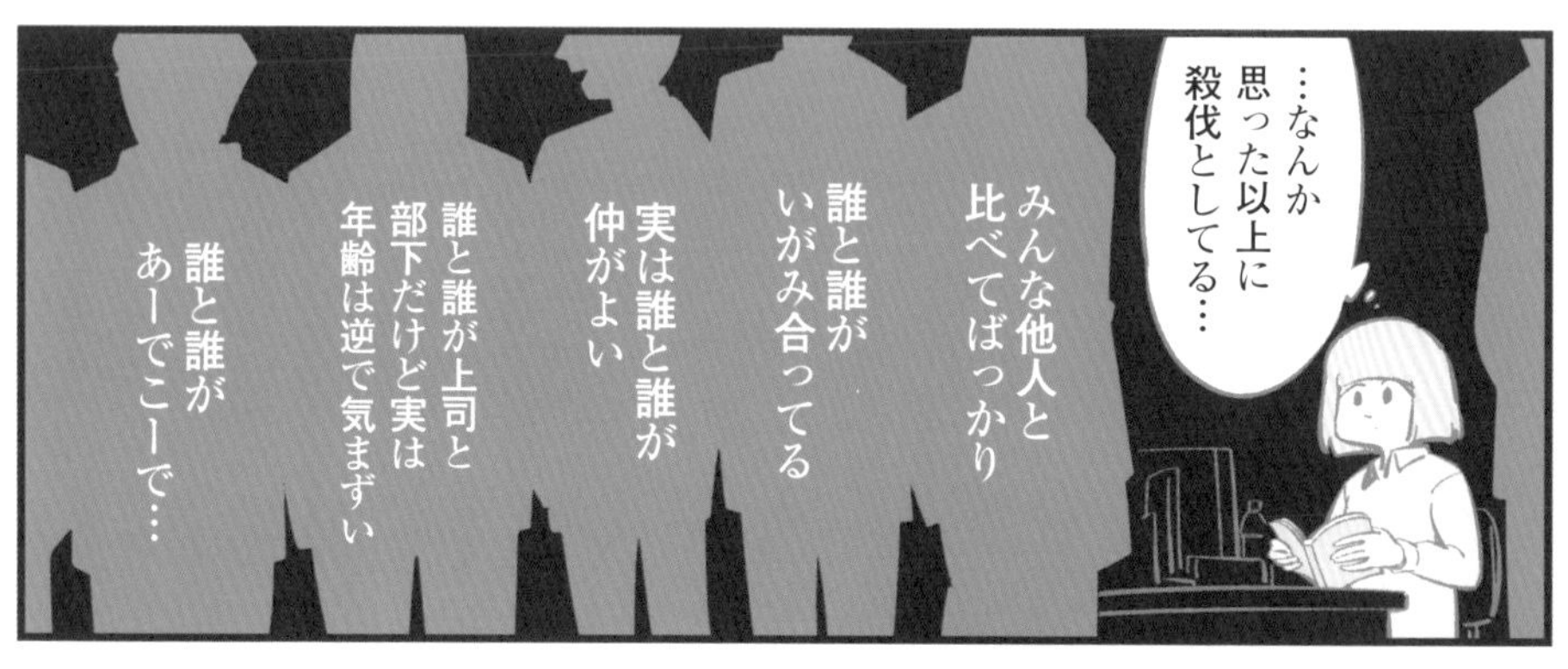
…なんか思った以上に殺伐としてる…
みんな他人と比べてばっかり
誰と誰がいがみ合ってる
実は誰と誰が仲がよい
誰と誰が上司と部下だけど実は年齢は逆で気まずい
誰と誰があーでこーで…

私そんな複雑な世界にいたのねって思うと…なんだかすんごくしうんざり面倒くさいって感じ

…何これ？
近い…
美術館のおみやげポストカード
よーく近くで見てみて

そんな近づけられちゃツブツブの塊にしか見えないよ…

この点がミルちゃんだと考えてみてよ
点が私…？

いろんな色が混ざり合って一枚の絵でしょ？その色の粒同士が優劣を比べ合ってもしょうがない…
会社の人たちも同じじゃない？
しん――

…とかなんとか言っても私もミルちゃんと比べて無職はヤバい！って焦っちゃっているけどね
そうなんだよね…他人と比べないってすごく難しそうだけどそんな風に考えられる時が来るのかな

リンちゃんの穏やかさにも心底憧れちゃうしなあ…

私はホラ！働いてないからね！
うん…まぁ逆にもうかっこいい

でもこの前就活中って言ってたよね？
いい絵だねコレ
でしょ？
もう少しの間社会という芸術を引いた目線で楽しもうと思う
いいように言ってる…

〝区別ぐせ〟がしがらみを生む あるがままを受け入れ、思考をほぐそう

編集部 職場や学校、ＰＴＡなどでも人間関係で息苦しさを感じることもあります。

小川 つらく感じるのは、**世間の常識やしがらみに縛られているからかも**しれません。そんなときに役立つのが、中国の戦国時代の荘子の思想です。老子と同じ道家の思想家で、その中心にあるのは「全てはひとつ」と捉える「道（タオ）」の考え方。両者合わせて〝老荘思想〟と称されますが、荘子はより徹底した達観主義だと言われています。

編集部 「道（タオ）」は１６５ページで紹介したように、人為的な区別をせず、自然の摂理である「道」に従えばうまくいくという考えでしたね。

小川　そうです。荘子の思想を象徴するのが「万物斉同」――**道の観点から見れば全ては価値的に等しいという考え方。**彼はそれを多くの寓話（ぐうわ）を使って説いています。有名なのは「胡蝶の夢」。蝶になった夢を見たとしても、もしかしたら夢が現実で、蝶が人間の夢を見ているのかもしれない。現実か非現実かさえも曖昧なのだ、と。本来どんな物事もひとつなのに、**私たちはそれを区別して一部だけを見るから分からなくなる**のです。

そして、荘子は「人生に選択などない」と言います。私たちは存在しなかったもうひとつの道を空想して、「もしこの仕事、この相手を選ばなければうまくいったかもしれない」などと言う。**他に道（選択肢）があったと思うから悩む**わけです。けれど実際には人生の道は、自分が選んだ一本しかない。**「この道しかなかった」と捉えられたら、迷いも後悔も生まれない**はずです。

編集部　達観していますが、消極的にも感じてしまいます。

小川　私たちは積極的というと、目的に向かって〝攻める〟人生を思い浮かべがちですが、積極的に人生を〝楽しむ〟こともできます。それを表す荘子の言葉が「**逍遥遊（しょうようゆう）」です。人生を遊ぶかのように自由に散策（逍遥）し、その瞬間を無心で楽**

しむこと。荘子は、こうした何物にもとらわれない自由自在な境地こそ「**真人**」（**真の人**）だと説きました。

編集部　確かに、それこそ真の自由とも言えますね。今回の話では、リンはひとつの絵の一部を分解するのでなく、全体を見ることを提案しています。

小川　荘子的に解説するなら、視点によって同じ物事の捉え方が変わるということです。言い換えれば、私たちは**同じ物事の違う側面を見ているにすぎない**のです。絵を色や粒に分解すると比べてしまいますが、**同じひとつのものとして捉えればぶつからない。**荘子に言わせれば人間関係という言葉もとらわれで、そもそもひとつだから関係に分類できないのです。その空間にいる全ての人、そして自分の選んだ会社や相手も、空間的・時間的にひとつなのだと受け入れることで、人間関係も楽になる。

編集部　私たちは論理的に区別することで、逆にとらわれて不自由になっているということですか？

小川　その通り。私たちは**区別という名の囲いをたくさん作り、自分を閉じ込めて窮屈にな**

っているのです。実際に会社や学校など物理面では簡単には逃れられませんが、荘子の一元的な思考によって捉えることで、精神的に解き放たれて自由になれる。

編集部　現代人は社会的な役割やルールが多いからこそとらわれやすいとも言えます。

小川　人間はもともと2つの思考を持っていて、いわば〝二刀流〟なのです。それなのに、**苦しいときは合理的な思考ぐせにとらわれてしまいがちに**なります。そんなときこそもう一方の思考を起動させるのです。

編集部　思考を起動させる方法は何ですか？

小川　中国には「差不多（チャブドゥオ）」（多くの差はない、全て一緒）というおおらかな意味合いの言葉があります。日本語で言うと「**ま、いっか**」といった感じでしょうか。こうした言葉で視点を切り替えてみることをお勧めします。

編集部　「ま、いっか」というのは気持ちが楽になる言葉ですね。

小川

実は私はこれ自体を思想にしています。「ま、いっか」の思想です。不思議なことに、「ま、いっか」と言うだけで、あたかも問題が解決したかのように感じるのです。そして幸せな気分になることさえ可能です。全てを前向きに受け止めるための魔法の言葉だといえます。それに自分だけでなく周囲も巻き込むことができます。集団が困難に陥った時、試しにそう言ってみてください。きっと場が和むはずです。対策はその後考えればいいわけですから。

アドバイス

ミルはどうすべき？

複雑で苦しさを感じるときは、合理的な思考にとらわれている証拠。「物事は全てひとつ」と捉えられれば、今すぐしがらみから自由になれる。

Episode 18

『自分のために生きるって難しい！』

今回の哲学 **現存在（ダーザイン）〈ハイデガー〉**

［ハイデガーは言った…］

生の有限性を意識して生きれば「現存在（ダーザイン）」として主体的に日常を輝かせることができる。

マルティン・ハイデガー
（1889〜1976 ドイツ）

［ ハイデガーってどんな人？ ］

現代人の「存在」を問い直した巨人

第一次世界大戦後、「存在」の意味を問うことで、本来的な生の意義を明らかにした。フライブルク大学の総長に就任するも、ナチスに肯定的だったため戦後に大学を追われた。著書に『存在と時間』『技術への問い』などがある。

あしだ　りん
芦田 凜
（35歳・職探し中）
あれ、リンちゃん日焼けしたねぇ
館山行ってきた
海で少々…

じん　やすみ
神 保実
（35歳・パート勤務）
バカンスってやつ？
とりあえずあがって
リンちゃん海行ったの？
おみやげは？

はい！おみやげ！拾った貝殻
わぁー
そのまま持ってきちゃったから熱湯消毒してね
虫わいちゃうかもだし

わいた虫見たい
見たい
分かる
ゾ
やめてくれ

え…スゴ…急に？

じゃあリンちゃんこれから海外移住するってこと？
いやいや
前から気になっていたけど勇気が出なくて
だから手始めに3カ月くらい旅行するだけだよ

なんか最近
積極的って感じ
じゃない？
ノートPC
買ったり
海行ったり
えへへ。あのね、海で
ボーッとしている時に
ひとつ気がついたの

私「自分だけのためになにかをやる」のを怖がっていた…って

怖がる…

仕事とか「よい転職のために頑張る」のは全部
自分のためだって
思ってた

でも仕事はそもそも社会の
需要なしに成り立たない
つまり仕事は必然的に
「他人のための行動でもある」
ってことになる
まぁそう
言えるか…

一週間ただ海辺でぼんやり…
それは誰の役にも
立ってない時間…

そんな時間を怖がっ
ていたのかも…って
気づいたらなぜか
踏ん切りがついたの
かもしれない
一週間…
そりゃ
日焼けも
するわ

あ

ニュアンス違うけど少し気持ち分かるかも

え…ホント？

子育てってすごく大変で…

うん大変そう

ボクもやる！

ダメ！

子どもにとって親なんていわば便利な道具…

とくに赤子…

わぁ…

はじめてのあかちゃん

おむつ

でもいざ子ども達が成長して
「行ってきます」を見送るだけになって…

私もう要らないんだろうな…って思うとちょっとね
もちろんまだまだ手はかかるけど

自分が誰かの役に立って
いる間は気がラクかも
ってだけの話だよ

…あぁでも
もし私も「役に立っているかを
怖がらずに自分の時間を楽しむ」
ことができたら子ども達の
いい見本になれるのかなぁ…

心の内の「限りある時間」に気づけば本来の自分らしく〝今〟を輝かせられる

小川　編集部

社会や人の役に立つことは大切ですが、空虚で充実感が得られない場合も。忙しい日々の中で「**何のために生きているの?**」と考えてしまうことがあります。

存在の意味を考えるときに参考になるのが、ドイツの哲学者ハイデガーの思想です。彼は名著『存在と時間』の中で、人間というのは世界の中でさまざまな物事に関わり、**なにかの役に立って生きている「世界内存在」**だと唱えました。けれど、ただ寝食を繰り返すだけなら、他の人に置き換えられてしまいます。そうやって自己を失った〝道具〟のように代替可能な人間を、「ダスマン(ドイツ語で〝ただの人〟)」と呼び、**もっと本来的な生き方をせよ**と説いたのです。

編集部　小川

本来的な生き方とは、どういう生き方ですか？

ハイデガーは人間の本来の姿を「**現存在（ダーザイン）**」、**つまり〝今ここを生きる存在〟**と呼びました。それは交換できない唯一無二の存在であり、主体的に自分のやりたいことに向かい、その瞬間を懸命に生きる存在のことです。**人はダーザインになると決意したとき、ただの道具ではなく、まさに自分のためだけに生きる存在になります。**これは決して利己的なのではなく、自分の目的が結果的に人のためになったり、ヤスミのように「やりたいことが人のため」になることもありえるわけです。

編集部　小川

どうしたら自己に忠実なダーザインとして生きられるのでしょうか？

自分の生が有限であると意識することですね。もちろんなにか明確な目的を持つことでダーザインになる人もいますが、**一度でも生の有限性に気づくことで、その後の人生を輝かせられる。**黒澤明監督の映画『生きる』はまさにその話。平凡な市役所の職員として無気力に働いていた男が、がんで余命宣告を受け、市民のための公園作りという自分の使命を果たすべく突き進みます。このように死の可能性を先取りして覚悟し、本気で生きる——ハイデガーの言葉でいう「先駆的覚悟性」を持って生きよと唱えたのです。

編集部

日常で死を意識することは結構難しいかもしれません。

小川

大切なのは、死よりも**時間の有限性**を感じることです。ハイデガーは、**人間の存在は生きる時間とイコール**であると考えました。そのうえで時間の概念を再定義し、時計が刻む「通俗的時間」とは別に、自分の心の時間ともいえる有限の時間＝「根源的時間」があると唱えたのです。根源的時間に基づいたダーザインとして生きるには、時計を忘れる必要があります。なぜなら**通俗的時間だけを生きていると、私たちはどうしても俗人的なダスマンになってしまうから。**有限性に気づくには日常を離れてひとりになり、**「自分にとって時間とはなにか」を考える機会を持つ必要がある**のです。今回のリンのように、時計を忘れて自分と向き合ったときに、初めて心の時間が見えてくるのです。

編集部

自分ではなく人のためになることが喜びという人や、組織や集団の中で働く人でも、本来的に生きられる？

小川

もちろんです。大切なのは**現状に安住するのではなく、限られた時間を意識して主体的に行動すること。**それは、人助けでも子育てでも何でもいいのです。**別に組織を飛び出さなくても、意識の切り替えさえできれば、自分らしくダーザイン的に生きられます。**

編集部

ダーザイン的な生き方は疲れることもありそうです。

小川

人生は長いですから、時には歩いたり休憩したりしてもいいでしょう。でも**どれが一番本来的な生き方かと言われたら、ダーザインとして輝いて駆け抜けることだと思います。**人がやりたいことや欲しいものを目がけて走っていく姿は輝いていますよね。だからなにか見つけたら、そうやって駆けていけばいい。そして、**何のために休憩するのかと言われたら、「それはまた走るため」**と、私は思います。

編集部

小川先生もそうやってダーザイン的な生き方をされているのですか?

小川

30歳以降はそうですね。30歳のころ、死を意識するような病気にかかったことがあります。結果的には大したことがなかったのですが、その時初めて思いました。人生は突然終わりを迎えるのかもしれないと。哲学に出合ったのもそのころです。以来、駆け抜けてきましたね。その後、何度か小休止はしていますが、それでもまた走り続けています。結局、一度人生の有限性を感じた人は、それを忘れることはないのだと思います。

アドバイス

リンはどうすべき？

時間の有限性に気づき、自らダーザインになろうと決意したなら、もう大丈夫。なにに挑戦しても一生懸命に取り組み、充実感を得ることができるはず。

Episode 19

『劣等感から解放されるには？』

今回の哲学　**劣等感**〈アドラー〉

［アドラーは言った…］

劣等感には、他人と比較する〝悪い劣等感〟と成長につながる〝良い劣等感〟がある。良い劣等感のもと勇気を持って「自分の課題」に挑戦せよ

アルフレッド・アドラー
（1870〜1937 オーストリア）

［アドラーってどんな人？］

トラウマを否定し「個人心理学」を確立

精神科医・心理学者。フロイト、ユングと並ぶ「心理学の三巨塔」。フロイトと共同研究していたが決別して「個人心理学」を確立。トラウマの存在を否定して対人関係に関する思想を示し、多くの領域で現代人に影響を与えている。

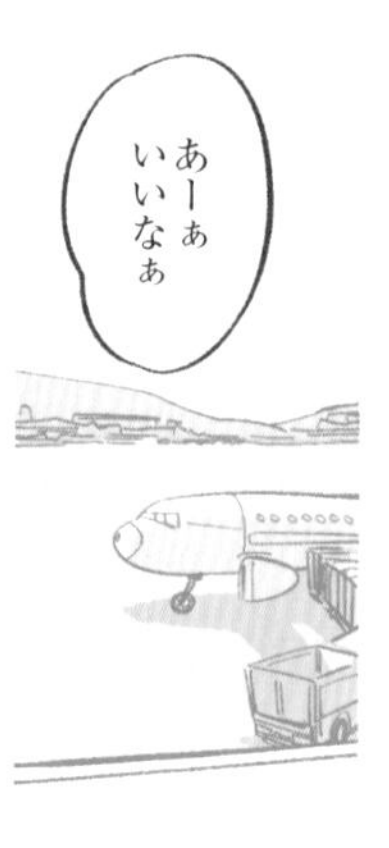
あーぁ
いいなぁ

私も仕事
やめちゃおっ
かなぁ
リンちゃん
みたいに…
鴨居美留（かもい みる）
（35歳・IT・販促）
神保実（じん やすみ）
（35歳・パート勤務）

「でもせっかく
長続きしたから」
って言ってやめない
いつものパターン？
そーなんだよ！
もったいないって
思っちゃうよー

リンちゃんって
ふらふらしてるようで
堅実に冒険してるよね
貯金
転職
資格取得
転職
海外旅行
いずれ
海外移住？
たしかに

それに
比べて
私ったら…
…なんて比べても
仕方ないけど
リンちゃんは
かっこいいし
羨ましいな…
とか思って
しまう

分かるなー
飛行機でかー

ということで
なんでだろう？
考えてみよう！
どした
急に…

最近うちの子たちがよく見てる教育番組でハカセが言うのよ
なんでだろう考えてみよう
それで…何をどう考えるの？
なるほど

リンちゃんのことは羨ましい
じゃあ私たちはリンちゃんと全く同じことがやりたいの？

…そこまで具体的に考えたことないかも
たとえばもしリンちゃんにこう聞かれたらどう答える？
私みたいに仕事やめたいの？
違う仕事を経験したいだけだから絶対に仕事やめたいってわけじゃないかも
副業的なスタンスもアリかな
ミルちゃんも海外に移住したいの？
ちょっと海外に行ってみるだけでも満足かも
住みたいかどうかは行った後で考えればいいし
旅行ガイド

ほらね？どこがどう羨ましいのかを考えたら悩みももっと具体的になるじゃん
たしかに私にはムリ！っていう要素を削れるかも

本当は自分でも分かってる

一つの会社でしか経験のない視野狭窄で安定志向な君は余計なことを考えるな
って私が私自身にそう言い続ける方がラクだもん

だってそうすれば挑戦する勇気を持たなくて済む

私も思い当たる節が…
母親は子育てに専念!やりたいことなんて後回ししなくちゃ!
誰かに直接そう言われたわけでもないのにね

無事チケットゲット!

はぁ〜
え…

はぁ〜

ちょっと…人が手続きしてる間に何なのこの空気…
あしだりん
芦田凛
(35歳・職探し中)
いやーやりたいことの話をしてたらさ…

勇気ねぇ…

え そういえばリンちゃんさ…

実家の母親が保守的で口うるさいって前に言ってたよね？
今回のことは？
うるさかったよ
治安の悪い場所にわざわざ行くなとか
一つの会社で長く働けとか
再就職したくなった時に長期の海外生活は履歴書に穴が開くとか
やっぱそこは誰しも心配するところじゃん？

その心配や不安は母の問題
私がそれを考慮するかどうかは別の話でしょ？

そ…そんなふうに考えられたら大抵の問題は解決じゃん
ずるいよ
かっこよすぎ
そうだよ
反則だよ

劣等感を他者との競争に向けず 自分の理想に近づけるために生かそう

小川　編集部

他人と自分を比べて劣等感に苦しむこと、ありますよね。

私たちが劣等感を抱くのは、人間には自分がよりよくありたいと思う「優越性の追求」の欲求があるからです。けれど、**劣等感は誰しも抱くものであり、むしろ成長の原動力になると肯定的に捉えたのが、心理学者のアドラー**です。もともと内科医だった彼は、自分の体の弱さをバネに舞台で活躍するサーカス芸人たちを診察するなかで、**劣等感こそが人を成長させるカギ**だと気づいた。分かりやすく言えば、他者との比較で生まれる〝悪い劣等感〟と、自分の理想と今の自分を比較し、**成長のバネとなる〝良い劣等感〟があると**考えたのです。

編集部 他人でなく理想の自分と比べれば、〝良い劣等感〟になるんですか？

小川 そうです。私たちはつい他者と比べ、どう思われているかを気にしてしまう。でも、**自分の評価を他者の承認に委ねていては、満たされず苦しむだけです。**重要なのは、**人ではなく自分がどうありたいか。**自分の理想を目指して努力すれば、おのずと他者は認めるようになるはずです。

さらに言えば、自分の課題は自分にしか意味がなく、自分にしか解決できません。同時にリンの言うように、他人の心配や不安はその人の課題であって、自分が克服すべき課題ではない。**アドラーはそれを「課題の分離」と呼び、割り切ることで前に進めると説いた**のです。

編集部 今回、ミルとヤスミはまず「劣等感の原因」を考えて自分の理想を具体化しています。

小川 いい考え方ですね。ただ他者をまねしたいだけなのか、自分の理想と現実とのギャップから来る劣等感なのかを見極めることで、課題が見えてきます。**たとえ劣等感を抱いてもその段階で終わらせず、理想の自分と比較する段階まで高めれば、単なるねたみでは終わらないと思います。**

編集部
同時に2人は、「自分は他人と違うから」と言い訳していることにも気づきました。

小川
いわば他者と比較する〝悪い劣等感〟をもとに言い訳をして、思考をストップしている状況ですね。そうすれば、勇気を出して自分と向き合ったり、理想と闘ったりする必要がなくなりますから。それはラクですが逃げとも言える。そんなときこそ、**自分を制限する周りの環境や条件を外して考え、理想を突き詰めるといい**でしょう。

編集部
課題の分離ができても、理想に向かって一歩踏み出すのは簡単ではありませんよね。

小川
アドラーいわく、**課題を克服するのに必要なのは「勇気」**です。そして勇気を得る方法は「**自分の世界の見方（＝意味づけ）を変えること**」だと言います。世界とは私たちが生きる環境のことで、それぞれの経験や選択の結果からできています。つまり、人によって世界の意味づけは異なるわけです。逆に言えば、「**人間は自分自身で人生を意味づけ変えていくことができる」――この考え方こそが、アドラー哲学の根幹なのです。**さらにアドラーは、**他者から勇気をもらうこともできる**と言います。ここで大事なのは、**人の役に立ち感謝されたことに目を向けること。**それをもとに自分を肯定し、自信と勇気に変えていくのです。

編集部

過去の失敗やトラウマが大きいと、劣等感から抜け出すのは難しそうです。

小川

トラウマはできなかったことに目を向けること。でも、**過去の事実や失敗は変わりませんが、その意味は自ら変えられる。**失敗をトラウマと捉えるか、「あのおかげで今の自分がある」と捉えるかでは全く違う。ちなみに、私が自信満々に見えるのは人生で失敗ばかりしているからです（笑）。困難に挑戦して初めて成功体験が得られ、成長にもつながります。逆に言えば自信がない人に限って失敗を恐れて挑戦しない。**若者や自信のない人ほど、勇気を持って失敗してほしい**と思います。

編集部

今、自己肯定感が低い人が多いといいます。

小川

そうなんです。私はよく講演を頼まれるのですが、小学校では子どもたちの自己肯定感が低いからそれをテーマにしてほしいといわれます。また企業でも社員の自己肯定感が低いからそれをテーマにといわれるのです。どうやら今、子どもから大人までみんなが自己肯定感の低さに悩んでいるように見えます。これは失敗に厳しい社会の裏返しともいえるでしょう。ぜひその風潮を変えていく必要がありますね。日本の経済成長の低迷も、このことと無関係ではないような気がします。

アドバイス

ミルはどうすべき？

「どうなりたいのか」を明確にすることが、自分を成長させる〝良い劣等感〟につながる。課題を分離することで他人の評価を気にせず前進できる。

Episode 20

『人生の指針ってどう探す？』

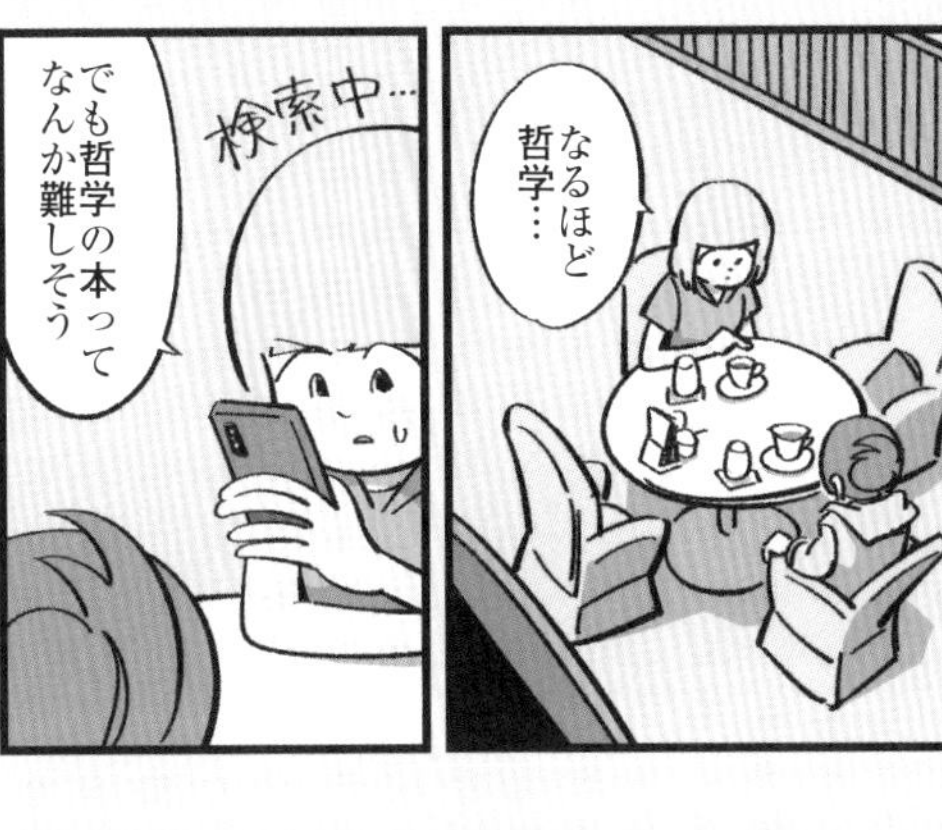

今回の哲学 **結局、哲学とは？**〈小川仁志〉

［ 小川仁志の哲学 ］

哲学とは、自分で「考える」ことによって人生の答えを導き出していくための指針なのです。

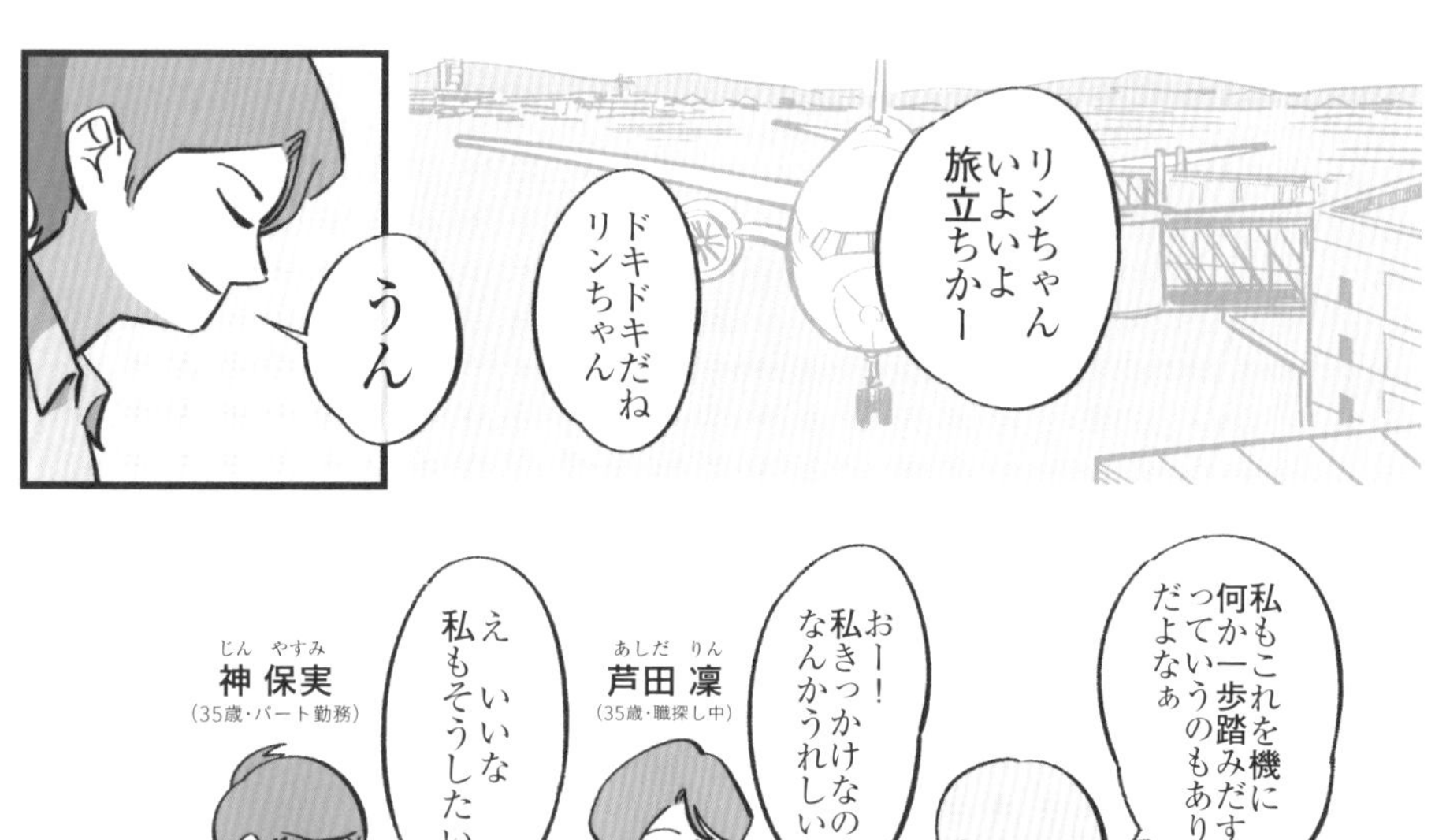
リンちゃん
いよいよ
旅立ちかー
ドキドキだね
リンちゃん
うん
私もこれを機に
何か一歩踏みだす
っていうのもあり
だよなぁ
かもい みる
鴨居美留
（35歳・IT・販促）
おー！
私きっかけなの
なんかうれしい
あしだ りん
芦田 凜
（35歳・職探し中）
え いいな
私もそうしたい
じん やすみ
神 保実
（35歳・パート勤務）

なんか帰りに本でも
買って帰ろうかな
あ いいね
やりたいことの
勉強始めるとか！
心理学とか経営学とか
なんか役に立ちそうな
勉強もしておきたいよね
分かる
英語
心理学
行動経済学
経営学
簿記
FP
歴史
んー…本も
いいと思う
けどさ…

ぐっ
うぬぅ…

試しにやりたいことをやり始めてから勉強する内容を考える方がいいいんじゃない？

ぐっ…
ちゃんとしてる！
うんちゃんとした人の理屈！
なにこれ…褒められてんの？怒られてんの？

行っちゃったね
カシャ

これは予感なんだけどさ…
次に3人で会うのはかなり
先になる気がする
リンちゃんが
帰国予定の3カ月後
よりももっとずっと後

おぉ…
私も似たような
こと考えてた

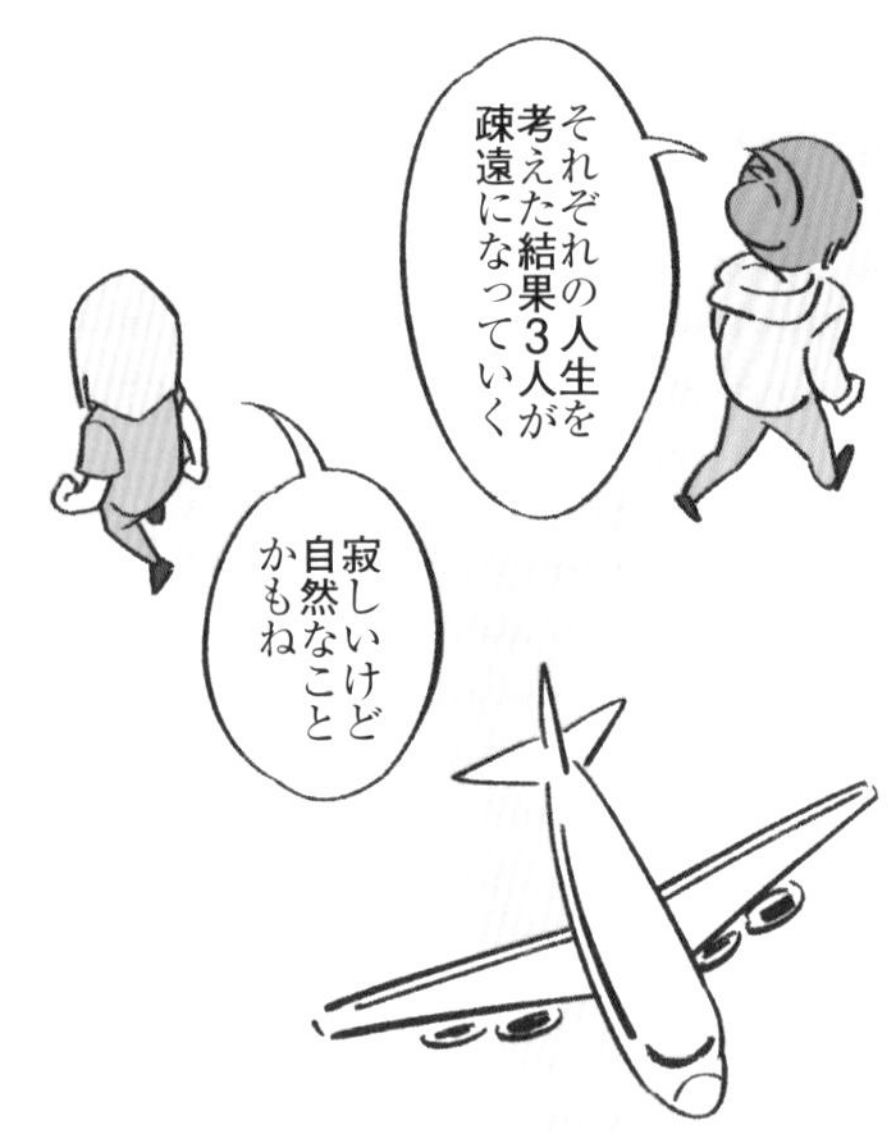
それぞれの人生を
考えた結果3人が
疎遠になっていく
寂しいけど
自然なこと
かもね

それぞれの
人生…
あ　人生!
え…
なに?

役に立つ勉強もいいけど
人生について考えるなら
哲学の本を読むのは？
なるほど
哲学…

検索中…
でも哲学の本って
なんか難しそう

うわっ ホントだ
やめるか…

あーあ…リンちゃんは
こんなふうに迷ったり余計な
こと考えたりしないのかなぁ
そうかもね
決断力の秘訣を
教えてほしい

Beef or
Chicken?
Chicken
OK

どうしよう
ビーフ？ チキン？
体調と気分的には
どっちがいいかな…
っていうか乗客全員が
チキン選んだら全員分ある
のかな…残ったビーフは
どうするんだろう…はっ！
余計なこと考えて決められ
ないまま私の番きちゃう…！

哲学か…難し
そうだけど読んで
みようかなぁ…？

既存の答えにただ従うのではなく
自ら考え、より強い指針を見いだそう

編集部　小川

これまでさまざまな物事に立ち止まって考え、意見を交わしてきた3人。それでもまだまだ悩みやモヤモヤは尽きないようです。

人生で迷うことは幾度とあるもの。そんなとき多くの人は、人生の変え方や指針を、本やインターネットの中で探すのではないでしょうか。心理学や宗教、スピリチュアル、カリスマの教えや名言集…さまざまな指針や答えに触れたとき、人は大きく2つのタイプに分かれます。一つは、多くの人がそうであるように、そうして触れた**何かの指針に従って生きていくタイプ**。もう一つは、**そうしたものを疑って生きていくタイプ**。後者の〝疑う生き方〟こそが、哲学なのです。疑ったあとは自分で考える必要があるため大変ですが、**だからこそ自分にぴったりの指針を作れるよさがある。**

編集部 哲学は、既存の指針に従うのではなく、自分で考えて指針を作ることなのですか？

小川 そうです。**哲学の面白いところは、考えることで自分も人も思ってもみないような答えが出てくること。**私が好きな作家のオルダス・ハクスリーは「この天と地の間に思ってもみないことがあるのが哲学」だと言いました。時代や常識が急速に変化し、イノベーションが求められる現代にこそ、より求められる考え方と言えるでしょう。**〝当たり前〟を疑うからこそ、想像を超えた思考や生き方ができる。**

編集部 でも、悩んだらすぐに答えを出したくなります（笑）。

小川 確かに、心理学や宗教には指針や答えがあります。でも哲学には「まず疑い、視点を変えて再考し、答えを言語化する」というステップが必要です。哲学は自分で答えを見いだすための方法論であり、実は答えは空白。一方で、私たちの悩みは、時代や環境、立場によって変化するため尽きることはありません。だからこそ**哲学の力で選択肢を無限に広げ、その都度自分で答えを導き出すことで、より強靭（きょうじん）な指針を見つけられるはずです。**

編集部

つまり、これまで紹介してきた哲学者たちの思想は、答えではないのですね？

小川

あくまでもテーマに対する視点のひとつにすぎません。 もちろん答えに納得すればその視点を使えばいいのですが、皆さんの中にはこの本を読んで「自分の考えと違う」と感じた人もいたはず。それでいいのです。大事なのは、自分なりに人生を吟味すること。**答えを決めつけてそのまま従うのでは、哲学という名の宗教になってしまう。**

人生の悩み解決には、一時的な対症療法ではなく、長期的な指針が必要です。**哲学的思考を身に付けることで、いわば自ら人生の処方箋を出す〝医者〟になれる**のです。

編集部

マンガでは3人が別々の道を歩み始めます。

小川

彼女たちはすでに、哲学を始めていたのではないでしょうか。誰もが日々のあれこれや人生、働き方に疑問を持ち、いろいろな視点で見直し、その都度考え直して歩みを変えているのだと思います。人生をきちんと考えている人は、こうして無意識のうちに哲学しているはず。さらに、哲学をするときに大事なのが、3人が続けてきた〝哲学対話〟です。哲学はひとりで考えて答えを出すのが前提ですが、**人間は社会で生き**

ていますから、みんなと対話することで、客観的な視点を用いて自分の考えを吟味できます。私が開催する「哲学カフェ」もまさにそう。このマンガのように、それぞれが考えを持ち寄って確かめ合い、別れて再考し、また集まる――。人生はその繰り返しなのです。

編集部

「哲学カフェ」は自分たちでも実践できますか？

小川

はい、できると思います。今はそのためのマニュアル本もいくつか出ています。誰か対話をリードするファシリテーターがいたほうがいいでしょうが、別にいなくてもきちんとルールを守って、みんなで問いを投げかけ合いながら考えればいいのです。ルールもそんなに難しいものではありません。主催者によってさまざまですが、私の場合は、①難しい言葉を使わない、②人の話をよく聞く、③全否定をしない、の3つを最低限のルールとして掲げています。たったこれだけで開かれた対話ができるものです。いずれも常識的なことなのですが、意識しないとすぐ破ってしまいますから。

編集部

哲学は難しそうな印象でしたが、私たちの心を自由にし、生きやすくしてくれる柔軟なツールだということがよく分かりました。哲学で深い考察をしたい人は、どこから

小川

始めたらいいのでしょう？

研究者でない限り、膨大な知識を学ぶ必要はありません。親しみやすい入門書から始めて、生きる知恵としての思考法を身に付けていけば、**必要なときに「哲学スイッチ」をオンにできるようになります。**私はこの本がその入門書であり皆さんの人生の指針になればと思っています。ぜひ、お話ししてきたことを参考にして前に進んでいただけると幸いです。

アドバイス

みんなどうすべき？

自分できちんと考え続けてきた3人は、これから哲学を深く学ぶことになるだろう。考えることをゲームのように自由に楽しみながら、自分が面白いと思う答えを見つけていこう。

Episode 21

『その後の3人』

そして自分の生活と
真剣に向き合って
考えながら…

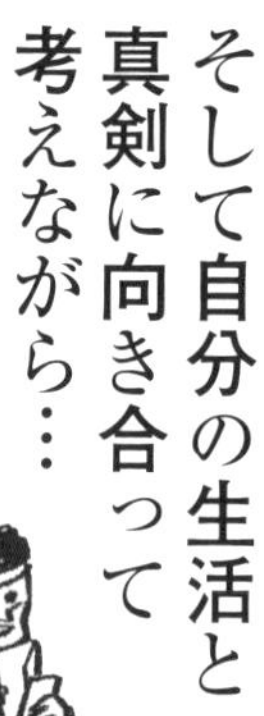

こうして
また昔と同じように
語り合える予感

あのさ…
こうして居酒屋で
前みたいに好き勝手
話して一喜一憂して

「私たちって変わらないね」
って今言おうとしたの…
だけどなんか
違うよね？
あ！
私も思った！
性格は変わらないけど
言葉にできない何かが
変わってきてない？

なんだろう
それじゃん
……？

昔は抱えきれない問題が
胸に巣食う人生だった
そしてそれを
どうにか解決したくて
じっと抱えて凝視してた
問題

でも今は違う…
離れてみると
こんなもんか
ってかそもそも
これは私の問題なのか？
問題

考える時間は
どんどん増えた
ん――

悩むことは
どんどん
減った

もしかしたら
2人もそうなんじゃ
ないかな…

それは何…
どういう
こと？

お手上げって
ことですよ
おっ
やっぱり
リンちゃん
かっこいいよ

ご注文
ですかっ？
あじゃあ
生ひとつと
すなぎもと
ぼんじりを
ごめんなさい
わー

私も生ひとつ
ください！
私も！
あいよ！

では改めまして
考えてばかりの
私たちに
変化しているようで
本質は変わらない
私たちに…
幸せな再会に

乾杯

「もっと知りたい」人のために！参考となる古典の紹介

- G・W・F・ヘーゲル、訳・熊野純彦『精神現象学（上・下）』（ちくま学芸文庫）
- キェルケゴール、訳・斎藤信治『不安の概念』（岩波文庫）
- セネカ、訳・兼利琢也『怒りについて 他二篇』（岩波文庫）
- キーツ、訳・中村健二『キーツ詩集』（岩波文庫）
- J-P・サルトル、訳・伊吹武彦、海老坂武、石崎晴己『実存主義とは何か』（人文書院）

- ディルタイ、訳・柴田治三郎、小牧健夫『体験と創作（上・下）』（岩波文庫）
- ゲオルク・ジンメル、訳・北川東子、鈴木直『ジンメル・コレクション』（ちくま学芸文庫）
- モーリス・メルロ＝ポンティ、訳・中山元『メルロ＝ポンティ・コレクション』（ちくま学芸文庫）

- ジョン・デューイ、訳・市村尚久『経験と教育』（講談社学術文庫）
- アルトゥール・ショーペンハウアー、訳・橋本文夫『幸福について―人生論』（新潮文庫）
- キャス・サンスティーン、訳・吉良貴之『入門・行動科学と公共政策』（勁草書房）
- フリードリヒ・ニーチェ、訳・森一郎『ツァラトゥストラはこう言った』（講談社学術文庫）
- 手塚治虫『新装版ブッダ（全14巻）』（潮出版社）
- 西田幾多郎『善の研究』（岩波文庫）
- B・ラッセル、訳・安藤貞雄『ラッセル幸福論』（岩波文庫）
- 訳注・蜂屋邦夫『老子』（岩波文庫）
- 池田知久『荘子（上・下）全訳注』（講談社学術文庫）
- ハイデガー、訳・中山元『存在と時間（全8巻）』（光文社古典新訳文庫）
- アルフレッド・アドラー、訳・桜田直美『生きるために大切なこと』（方丈社）

マンガ さわぐちけいすけ

2017年から漫画家として活動。著書に『経営理論をガチであてはめてみたら自分のちょっとした努力って間違ってなかった』(日経BP)、『だからお前はダメなんだ』(大和書房)『偶発的ルネッサンス少女』(朝日新聞出版)ほか。

監修・解説 小川仁志(おがわ・ひとし)

哲学者・山口大学国際総合科学部教授。
1970年京都府生まれ。京都大学法学部卒業。伊藤忠商事勤務、名古屋市役所勤務、フリーターを経た異色の哲学者。各地で「哲学カフェ」を主宰するほか、各種メディアでも活躍。著書多数。

哲学を知ったら生きやすくなった

2024年5月13日　第1版第1発行
2024年7月5日　第2版第1発行

著者	さわぐちけいすけ
監修・解説	小川仁志
発行者	佐藤珠希
発行	株式会社日経BP
発売	株式会社日経BPマーケティング
	〒105-8308　東京都港区虎ノ門4-3-12
装丁	小口翔平＋畑中 茜(tobufune)
本文デザイン	桐山 惠(ESTEM)
制作	ESTEM
執筆協力	渡辺満樹子
編集	羽田 光(日経WOMAN編集部)
印刷・製本	TOPPANクロレ株式会社

本書は『日経WOMAN』2022年7月号〜2024年2月号に掲載された連載を基に、新たなマンガと解説を加えて再編集したものです。

ISBN 978-4-296-20486-1